成惕軒先生年譜

弟子王己夫題
時年九十六

成惕軒先生年譜 / 陳慶煌,成怡夏著. -- 初版. --
臺北市 : 文史哲, 民 88
面 :　公分.
ISBN 957-549-216-1(平裝)

1. 成惕軒 - 年表

782.98

成惕軒先生年譜

著　　者：陳　慶　煌・成　怡　夏
出　版　者：文　史　哲　出　版　社
登記證字號：行政院新聞局版臺業字五三三七號
發　行　人：彭　　　　正　　　　雄
發　行　所：文　史　哲　出　版　社
印　刷　者：文　史　哲　出　版　社
　　　　臺北市羅斯福路一段七十二巷四號
　　　　郵政劃撥帳號：一六一八〇一七五
　　　　電話 886-2-23511028・傳眞 886-2-23965656

中　華　民　國　八　十　八　年　六　月　初　版

成惕軒先生年譜序

　　己卯之夏，成惕軒先生逝世十周年，其門弟子陳慶煌博士為楚望編製年譜書成，徵余一言，念余與楚望班荊道故，相契苔岑，情不可卻。

　　惕軒先生乃鄂之陽新世系，以醇和廉介之性，為沈博邃精之學，經史詞章，並冠當代，允為士林所獨重。溯自射策筮仕，遂秉樺燭以趨朝，典試高闈，凡四十餘載，量才拔俊，何止萬千，所著楚望樓駢文及其詩卷，早經坊間刊印行世，一時海內名家，莫不爭相讚譽，有駢文獨步之目。

　　慶煌深恐後之讀者，不識楚望高標行迹，迺從容執管，書其年譜，裨來日之參證。於此，余益感道喪文敝之今日，如慶煌之尊師重道，瓣香宜祝，誠不多有，謹弁一言。

　　　　　　　　　　　　　　　　胊陽**方子丹**敬撰^{時年九十}
　　　　　　中華民國八十八年歲次己卯寒食節前

《成惕軒先生年譜》自序

　　譜牒之名，首揭於《史記》；譜牒之見重，亦肇始於司馬子長。惟太史公所讀《春秋曆譜諜》（按：諜，譜第也；與牒通。），與班書所錄《帝王諸侯世譜》、《古來帝王年譜》等，皆爲朝廷所修；而且貴爲帝王諸侯者，始克有之，私人氏族則未之聞也。

　　兩晉南北朝之際，以矜尙門第族望；而有司選舉，又必稽譜籍，考其眞僞，於是氏族有譜牒世系之撰。若夫專門以人物爲本位而編之年譜，約在晚唐始見發達。今所傳世者，要以韓退之、柳子厚二人之年譜爲最早。

　　亞聖孟子有言：「誦其詩，讀其書，不知其人，可乎？是以論其世也。」蓋年譜在人之專史中，地位綦爲重要；既須於所記人物一生之行誼，依年代先後，據事直書，首尾畢見，鉅細靡遺；復應與譜主所處之時代背景、社會關係、家庭環境、人格學問、思想脈絡等相應。使人對其言之所蘊，行之所由，以及影響當代或後世者，皆可於整而齊之中，一目了然。

　　自吾師楚望　成公仙逝後，衆弟子均有上述之共識；咸以爲在紀念文字外，更應有年譜之梓布，庶幾稍得上報師恩。余於大前年，奉師母之命，整理先師藏書時，赫然發現有聘書及重要文件，積高逾尺。竊維年譜編成有望矣。於是一面囑託先師次孫女怡夏，逐年依次妥予登錄；一面自己抽暇據《楚望樓詩》與《楚望樓駢體文》等書，將先師之行誼加以釐理。幸先師之詩集係採

編年方式，纂輯尚稱順利。嗣經匯爲一帙，任務幸獲完成。

維我夫子，文德俱崇，世所同欽，深知殊難仰鑽高深於萬一。猶勉爲之者，實懷「雖不能至，心嚮往之」微誠。無奈汲深綆短，自是心餘力絀；重以編撰先師年譜既告竣事，能早問世爲宜，是以亟於梓行，疏漏之處，在所難免，尚祈賢達進而教之！

中華民國八十八年歲在己卯上元穀旦蘭陽陳慶煌謹識於心月樓

成惕軒先生年譜

中華民國前二年　　　　庚戌（西元1910）　　　　先生一歲

　　以其出生在辛亥立春之前二日，依例前推一年。

　　先生姓成氏，乳名良貴，學名笛仙，初仕名滌軒，後改曰惕軒，字康廬，別號楚望。

　　國曆民前一年二月二日（亦即夏曆正月初四日）誕生於湖北省陽新縣龍港鎮黃橋里。

　　其先出自姬周成叔，受姓去邑：迨後周顯德間，始遷籍陽新：代有潛德、為邑中著姓。皇考諱炳南，以儒生力田經商：皇妣紀太夫人，勤儉持家，日就豐裕。

中華民國七年　　　　戊午（西元1918）　　　　先生九歲

　　先生手撰〈先府君炳南公事略〉云：「府君以弱冠輟學，有志未成：及不肖等稍長，乃築碧柳山房，厚幣延師，嚴加督課。日夕往來其間，或評文，或與談古今治平事，無間寒暑。嘗撰：『范文正任天下憂樂，馬少游為鄉里善人』之句：榜諸門庭，以見其志。且詔不肖等曰：『人患不立志耳，古今成大功，建大業，何一不自立志來者。吾志在耕讀，耕則可以贍家，讀則可以匡國。願爾曹世世守之，毋墮厥志。』」

中華民國八年　　　　己未（西元1919）　　　　先生十歲

　　先生席累世清陰，稟天授瑰質；英敏內含，迥異庸衆。髫齡劬學，通群經大義；再博覽時籍，洞察世務。

　　炳南公築藏山閣於龍港故里山中，爲先生早年讀書之所。

中華民國十六年　　　　丁卯（西元1927）　　　　先生十八歲

　　先生於是年前往武昌。

　　民國十八、九年間，駱莘農介先生與曹志鵬相識時，即譽爲江夏無雙之神童。曹志鵬〈晦冥風雨故人稀〉云：「惕兄初抵武昌，考入私立文化初級中學，此校乃咸寧唐祖培季申先生所創辦，唐校長知惕兄精於詞章，深爲器重。當年惕兄曾患傷寒，經唐校長延醫調治，使告痊可。以枳棘非鸞鳳所棲，廣爲推轂，轉介於湖南唐大圓先生，唐先生時在國立武漢大學主講哲學。昔湘省主席何鍵芸樵之倡導讀經，由唐先生贊之也，後由大圓先生再介於太虛上人。」（見《成惕軒先生紀念集》頁三四八）

　　又、先生在武昌黃土坡問字於羅田大儒王葆心季薌舉人，王氏淹通義理、考據、詞章之學，成〈晦堂叢書〉若干種，而《古文辭通義》尤其著焉。先生駢文之所以能凝重而流美，典奧而疏逸，極縱橫開闔之變化，不受浙派影響而直追六朝本源，蓋得力於此。

　　時鄉里正攖匪禍，先生遠走江西，暫居陳老先生家中。嗣往武漢教育局任職，與章壽先生共事二、三年。章氏係秋農先生小學老師之公子，因之，徐氏稱章氏爲師兄。嗣後徐氏赴南京任職，即聘章氏爲西席，來府督教其子徐臣堯。時臣堯與曹志鵬先生同就讀於湖北第九高級中學，臣堯日間肄業新武學堂，入夜即由章先生授以古文及唐詩等典籍。

中華民國二十年　　　辛未（西元1931）　　　先生二十二歲

先生在武昌。

河南、皖北、廣東、湖南、湖北等省均大水成災，夜靜月明，先生獨登黃鶴樓，望滾滾洪濤，惻然傷之，歸草〈災黎賦〉二千言以寄慨：軍需學校張校長孝仲將軍閱報，誦而善之，越明年，邀赴南京，聘主雜誌編務。

中華民國二十一年　　　壬申（西元1932）　　　先生二十三歲

先生在武昌。

某月，先生與太虛上人共遊武昌之東湖，時武漢大學校舍初成，澄波瀠回，景物清絕，於是賦詩紀事，有：「妙論直教石點頭，清談真覺腋生風」：「山色靜含金粟影，溪流如帶海潮音」諸聯。

十一月十四日，軍需學校聘為該校雜誌社少校編譯。而徐秋農先生全家亦於是年遷至南京。

中華民國二十二年　　　癸酉（西元1933）　　　先生二十四歲

先生在南京。

春日，經章壽先生介紹，在南京後長街與秋農之妹徐文淑小姐文訂。

某月某日，先生府君炳南公疾終黃橋里第，卜葬於西臺之原。

中華民國二十三年　　　甲戌（西元1934）　　　先生二十五歲

先生在南京。

元旦在南京東方大飯店與徐文淑小姐結婚，婚後在此大飯店

居住半年，嗣定居於烏衣巷。

中華民國二十四年　　乙亥（西元1935）　　先生二十六歲

先生在南京，居烏衣巷。比年以來，旅食白下，櫜筆公門時存聯語之作，今搜集成編，付諸剞劂，成《秋庵聯語》一書。

九月二十九日，長公子中英出生。

按：是年國學大師黃侃逝世。八年後，亦即民國三十二年，先生於〈蜀中追念季剛先生作〉七言律，前有序云：「曩者于役白門，謁黃季剛先生於大石橋寓邸，袖詩請贄，中有句云：『萬劫河山歸蟻戰，一樓風雨付龍吟』；先生亟稱之。旋賜手書，致引『仲宣樓頭春色深，青眼高歌望吾子』語，獎掖之盛，期許之殷，有非不才所克副者。無何，邦家多難，哲人遽萎，苴車重過，馬帳已非。帶草斜陽，徒供憑弔而已。今距黃州歸葬之日，忽忽八年。令媛允中女史，以道韞之清才，世康成之家學。相逢蜀郡，回首程門，倍傷往事。江干斗酒，未知何時得賦招魂也。」

中華民國二十五年　　丙子（西元1936）　　先生二十七歲

先生在南京，居烏衣巷。

中華民國二十六年　　丁丑（西元1937）　　先生二十八歲

先生在南京，居烏衣巷。

夏曆正月二十九日，次公子中豪出生。

以日寇犯我淞、滬，南京危在旦夕，學校疏散至江西吉安，夫人即攜二子返回陽新故里。

九月於江西吉安，撰〈祭妻母李太君文〉，寄回陽新縣。原稿墨跡今收入《成惕軒先生紀念集》頁204-205。

十二月十三日，南京淪陷。

歲末，撰〈獻歲辭〉，中有：「羣策羣力，無取新黨、舊黨之爭；同氣同聲，永弭清流、濁流之禍」警句，文見《成惕軒先生紀念集》頁238。

中華民國二十七年　　　戊寅（西元1938）　　　先生二十九歲

時先生任軍需學校少校編譯官。回鄉省親時，曾於大冶縣城與友人曹志鵬不期而遇。後即返鄉攜家眷赴四川重慶。

四月，於四川江北旅次，撰〈先府君炳南公事略〉，原稿墨跡見《成惕軒先生紀念集》頁214-216。

十一月七日，三子中傑出生。

中華民國二十八年　　　己卯（西元1939）　　　先生三十歲

先生在四川重慶。

應高等文官考試及第。升任軍需學校中校教官，校在巴縣龍溪河。

七月七日，為巴縣蔡家鄉所舉行之抗戰建國二週年紀念大會撰〈上委座電〉，又代大會撰〈致前方將士電〉，以示慰問。又撰〈公祭抗日陣亡將士文〉，今收入《成惕軒先生紀念集》頁242。

為軍需學校第八、九、十各期學生合刊同學錄作序，其題言有三：一曰勿以責微而可忽也。二曰勿以惡小而可為也。三曰勿以學成而自畫也。（詳見《成惕軒先生紀念集》206－206頁）

十一月十日，軍政部派爲軍需學校同中校編譯官。

按：是年國防最高委員會成立，先生爲慈谿陳布雷所賞異，薦任
　　該會同簡任祕書。

九月一日，第二次世界大戰爆發。第一次長沙會戰，先生賦有〈
　　哀長沙〉七言律詩一首。詩曰：「火牛竟累池魚死，風鶴翻
　　成市虎驚，漫擬周郎焚赤壁，忍從賈傅問蒼生。徙薪自荐忘
　　恩澤，焦土於今負戰爭，冷落刧灰殘照外，湘花湘草總關情。」

中華民國二十九年　　　　庚辰（西元1940）　　　　先生三十一歲

先生在四川重慶。

二月十六日，四子中興出生。四歲時夭折。

九月六日，有證明書：「查成滌軒在本校服務共計七年又十
個月。計任少校編譯官七年，中校編譯官十個月，考績列甲等，
特此證明。軍需學校教育長墨林翰」

十一月，高等考試普通行政人員中等及格。

十一月二十七日，國防最高委員會委員長蔣中正派任爲該會
祕書廳祕書。

中華民國三十年　　　　壬申（西元1941）　　　　先生三十二歲

先生在四川重慶。

夏曆正月初四日，三十二歲生日作〈弧矢吟〉五言古詩十二首。
有序云：「柏酒椒盤，觸鄉邑歲時之感，桑弧蓬矢，動沙場醉臥
之心。駒隙頻移，鯨波正惡。悵違顏於老母，白髮家山：望龕亂
於王師，朱旗海甸。淮貽萱草，爲祛堂北之憂：我異蘭成，且待
江南之捷。」作〈渝州春望〉七言律詩一首。詩曰：「斷牆紅映

夕陽斜。不數恆河刼後沙。民困戰時蘇菜色。春晴二月見桃花。
了無繡詠酬佳節。可有勳名答歲華。薄海祇今聞戰伐。東風隱隱
度悲笳。」又作〈入蜀並慰問雪齋（楊向時）〉七言律詩一首。
詩曰：「楚天烽火照南樓，黃鵠高飛向益州。地入夔巫應樂土，
人如屈宋自悲秋。艱難終見興三戶，嘯詠猶能託一舟。借問孤山
林處士，梅花還似舊時不。」今均收入《楚望樓詩》卷一頁3。

　　六月十七日，長女中芬與次女中慧雙胞姊妹出生。中慧五個
月即夭折。

按：是年晉南會戰。第二次長沙會戰。日軍偷襲珍珠港，太平洋
　　戰爭爆發。日軍進攻香港，麥克阿瑟受命為遠東盟軍司令，
　　我軍入緬，第三次長沙會戰。先生賦有〈長沙三捷喜賦〉五
　　言律詩兩首。詩曰：「一月聞三捷，孤營敵萬夫。將軍疑姓
　　霍，天意欲亡胡。赫赫羆當道，紛紛豕負塗。憐他新鬼大，
　　血濺洞庭湖。」「千古長沙郡，兵家勢必爭。寇來卑濕地，
　　我築受降城。南嶽高無恙，君山剗不平。收京傳露布，行聽
　　凱歌聲。」

中華民國三十一年　　　　壬午（西元1942）　　　　先生三十三歲

　　先生在四川重慶。

　　五月二十六日，戴安瀾於鎮南關抗倭之役，壯烈成仁，先生
代蔣委長撰聯輓之，今收入《楚望樓聯語》頁59。

　　夏曆除夕，與曹纕蘅、雨薇、子健等雅集，賦五言古風〈除
夕〉一首，今收入《楚望樓詩》卷一頁14。

中華民國三十二年　　　　癸未（西元1943）　　　　先生三十四歲

先生在四川重慶。

先生近讀《張江陵集》，所撰〈論太岳用人之道〉論文二萬言，適於立秋之日脫稿，因此賦〈立秋日作〉七言律詩一首。

冬日，先生移居北溫泉。賦有〈冬日移居北溫泉逾月，仍返蔡家場途中口占〉七言絕句三首。

按：是年蔣夫人訪華府。八月一日，國府主席林森逝世，蔣委員長代理主席。十月十日，蔣中正就國民政府主席職。先生賦有〈雙十篇〉五言長古一首，今收入《楚望樓詩》頁23-24。

　　常德會戰，先生賦有〈聞常德之捷〉，五言律詩一首。詩曰：「勝地終還我，胡兒敢問津。桃花開有日，蘭芷靜無塵。奮勇看摩壘，圖強在臥薪。避秦非善策，嗟爾武陵人。」

中華民國三十三年　　　　甲申（西元1944）　　　先生三十五歲

先生在四川重慶。

一月十三日，軍需學校教育長墨林翰敦請為該校初級幹部訓練班第二期聘任國文教官。人日，於半雅亭雅集，並攝影留念。

四月十八日，先生業師羅田王葆心季薌先生逝世，成七言律詩二首以哭之。詩曰：「蘄春已痛經師死，（謂黃季剛先生）又報羅田隕德星。多難可憐頭易白，不才偏荷眼同青。河汾並世資傳道，江漢於今失炳靈。屈指耆賢盡凋落，楚天回首涕空零。」「黃土坡前舊叩闇，書城曾對道顏溫。諸生槐市春風暖，一老蘭陵祭酒尊。胡騎極天知憫亂，楚騷無地賦招魂。侯芭問字嗟難再，準擬他年哭墓門。」

重五節後，日倭以大軍猛犯衡陽，歷時一月，而我孤城固守，寸土必爭。於是成〈憶衡陽〉七言律詩一首，前有序。詳見《楚

望樓詩》頁38。十日後，又成〈孤城〉七言律詩一首並序。詳見
《楚望樓詩》頁40。

　　夏，日倭犯我滎、汜以西，兩軍相持，寇不得逞，於是撰〈
王城〉五言律詩一首。前有序云：「王城在今洛陽西北十餘里，
為周公營洛邑時所造。形勢重於前代，文教被於中州，其由來遠
矣。……天開牧野，重看尚父之鷹揚；地並臨洮，豈讓胡兒馬過。勗
哉多士，奮發雄威，蕩滌瑕穢，必能使河聲嶽色，永壯神區也。」

　　六月十四日，成〈聯合國日作〉一首。詩曰：「朱旗飄影絢
江天，沸地歡聲雜管絃。史創五千餘歲後，局開二十六邦先。屠
鯨海上爭磨劍，歸馬山陽待著鞭。望裏波濤行蕩寇，重洋為紀太
平年。」

　　六月十六日，盟邦美利堅超級空中堡壘飛襲倭之八幡工業區，
嗣復猛炸佐世保軍港，戰績輝煌，聲威赫異，長鯨失水，已非疲
猖莫制之時，卞烏摩空，正是勝利將臨之日。喜賦〈橫空〉七言
律詩一首並序，用勵同仇，詳見《楚望樓詩》頁34-35。

　　仲夏之日，重至復興關，成〈紀事〉四絕句。

　　七月，成〈七七篇〉五言古風一首，前有序云：「中倭戰端，
起於九一八之變；而全民抗敵，高揭義旗，則實以七七為始。盧
溝月影，黯清曜於層霄，櫻島花魂，幻殘紅於落照。歲華七易，
海水群飛；極目山河，幸秦關之無恙。寄懷篇什，祝禹域以重光。」

　　七月二十日，成〈神風〉一首，前有序云：「神風不來，倭
閣再覆。延其一息，寄燕雀於危巢；張我大師，戮鯨鯢為京觀。
滄溟在望，醜虜焉逃；授首之期，拭目可俟。」

　　八月一日，隨蔣委員長祭故主席林森墓，成七言律詩一首。

　　秋，於歌樂山衡閱高等考試國文試卷，成七言律詩一首。

中華民國三十四年　　　乙酉（西元1945）　　　先生三十六歲

先生在四川重慶。

四月四日，三女中平出生。

以抗日勝利在望，成〈建國篇〉、〈建人篇〉、〈建軍篇〉等五言長古，一則專論開物，一則專論樹人：又以彊國必須經武，因而作〈建軍篇〉。

以美人陳納德中將，於三十年夏，組志願空軍來華助戰，義聲震乎寰宇，茂績炳於神州，世人咸稱之曰「飛虎隊」。翌年三月，受命改組為第十四航空隊，殲除暴敵，迭奏膚功，深有裨於抗倭軍事前途。比聞解職歸休之訊，殊切臨風惜別之情，於是作〈飛虎篇〉五言長古一首。

七月二十六日，美總統杜魯門、英首相邱吉爾，於波茨坦集議之頃，商得我　蔣主席同意，提出三領袖聯合公告，促倭無條件投降。全文十三款，義正詞嚴，洵屬人類歷史中富有劃時代性之偉大文獻。以殘倭將平，凱歌不遠，因次其事，成〈受降篇〉五言長古一首。

八月六日，第一枚原子彈投於日本廣島；九日，第二枚原子彈投於長崎。蘇俄進兵東北。

八月十日，日本幡然悔禍。願受波茨坦公告之約束，履行無條件投降。捷音初至，寰宇騰歡，渝都居民，欣奮尤甚，鐃歌競作，爆竹爭喧，壯馬朱輪，飆馳道左，童髫白髮，雀躍街頭，萬象紛陳，動人心目，於是在秋窗燈下，成〈渝都凱唱〉四首絕句。又以日本發動盧溝橋事變，肇自二十六年七月七日，而適於舊曆七夕來降，巧合若斯，不可謂非聖戰中之佳話也。於是成〈乙酉七夕倭降別記〉二首七言絕句。

　　國慶日，在渝都與朋舊小集酒樓，同祝勝利，即席賦詩，成〈乙酉國慶〉七律一首。

　　十一月十二日，國民政府主席蔣中正頒勳章證書：「國民政府爲成滌軒在抗戰期間著有勳績特頒給勝利勳章」

按：是年四月十二日，美國總統羅斯福逝世，副總統杜魯門繼任，先生作〔浣溪紗〕詞一闋悼之，詞云：「盟會金山正及期，白宮一夕賦騎箕，斯人斯疾竟斯時。四海狂瀾資砥柱，九天淚雨濕旌旗。曹隨諒不廢蕭規。」豫西、鄂北會戰。五月七日德國向盟國無條件投降簽字。湘西會戰。國軍攻克柳州、桂林。國防最高委員會通過聯合國憲章。九月九日中國戰區最高統帥在南京接受日本投降。十月二十五日，淪陷五十年一百五十六日之臺灣，正式光復。美國駐軍大使赫爾利辭職。馬歇爾任駐軍特使。美軍爲代表團成立，魏德邁任團長。

中華民國三十五年　　　　丙戌（西元1946）　　　先生三十七歲

　　先生在四川，四月下旬由渝之南京。夫人先返陽新鄉里半年，隨即前往團聚。

　　上元節，成〈渝市觀燈作〉七言絕句二首並序，詳見《楚望樓詩》頁63。

　　二月二十二日，重慶沙坪壩各大學學生三萬餘人，發動愛國大遊行。翌日，北碚區大學學生三千人繼之。又三日，南岸大中學學生萬人，亦相率渡江，作桴鼓之應，獅吼如雷，鴈行有序，觀者爲之動容，於是成〈渝都學生愛國遊行歌〉五言長古一首。

　　上巳節，與于右任、周惺甫、賈煜如、曹纕蘅、陳樹人、劉

禺生、汪辟疆、喬大壯諸耆宿在康園禊集，賦有七言律詩一首。

四月二十二日，由渝之京，於飛行中得七言絕句八章，成〈南飛曲〉，及〈入都口占〉七言絕句共十二章，以示海內親友。

春，重遊玄武湖，謁明孝陵與中山陵，過馬當山，皆有詩為紀。又賦七言律詩一首贈顧頡剛教授，其頷聯：「擅才學識斯良史，通地天人曰大儒」，頗具深意。

四月，中央政治學校校友會重返京邑。

五月，臺灣省參政會成立。先生代陪都重慶黨政各機關作〈還都頌〉，一名〈抗日勝利紀功碑〉。由重慶市參政會議長胡子昂代表陪都百萬市民面對蔣委員長逐字恭讀，委員長頻頻頷首，以示贊許。其後勒石立於該市都郵街上。全文收入《楚望樓駢體文》內篇卷一，頁1-4。

五月五日，國民政府還都南京。國民政府主席蔣中正頒勳章證書：「國民政府為國防最高委員會祕書廳祕書成滌軒著有勳勞授予五等景星勳章」

秋，返鄉，有〈過龍港〉、〈京漢道中〉等詩作。以日盼家眷來京同住，因有〈遲素瓊消息不至〉、〈聞素瓊舟過宜昌喜賦〉、〈丙戌中秋作〉諸詩。

重九，與于右任、周惺甫、賈煜如諸公會飲秦淮河畔之大集成酒家，賦七言律詩一首。其時，曹纕蘅先生因病未至，故末二句特殷殷致意。詎意曹氏竟一病不起，遂用前韻，成輓詩一首。

十月，受託撰〈蔣理玄先生壽序〉，文見《楚望樓駢體文》續編頁242-244。

十一月十七日，躬預故國民大會代表曹經沅追悼會致祭。

十二月十三日，于南京大華劇院觀名伶程硯秋、王少樓、袁

世海合演〈紅拂傳〉，深感宇宙至大，何地不可有為，而桀驁者流，往往逐在隍之鹿，操同堂之戈，徒苦生靈，自相荼毒，視劇中人虯髯客，應有愧色。遂成七言絕句三章。

十二月二十五日，國民大會正式通過中華民國憲法，並決定三十六年十二月二十五日為行憲紀念日，遂成〈獻歲〉七言律詩一首。

中華民國三十六年　　　丁亥（西元1947）　　　先生三十八歲

先生在南京，曾謁中山墓、遊後湖、過馬臺階、臺城、棲霞山、天文臺等名勝，皆有詩誌感，詳見《楚望樓詩》卷一。

三十七日，太虛法師圓寂。賦七言律詩一首並序以悼之，詳見《楚望樓詩》頁91-92。

春，偕子中英、中傑遊後湖，嗣謁孫中山先生墓，各有詩為記。又參加青溪詩社還都後第一次雅集，分韻得「子」字。

四月二十四日，國防最高委員會撤銷，奉頒五等景星勳章。

入考試院，改任簡任祕書，做七言律詩一首。端午詩人節，應于右任、賈煜如二公招集試院，以林霽山〈五日詩〉分韻，得「葛」字。

撰〈秋庵聯語自序〉，原稿墨跡見《成惕軒先生紀念集》頁220。

八月五日，國民政府主席蔣中正派任為考試院祕書。

中秋日，試院為所挑選四十四名合格縣長行送榜禮，以躬預盛儀，遂成七言律一首。

重九前一日，偕筱魯、二適、周棄子、許君武、凝生赴棲霞山謁曹纕蘅先生墓，成七言律一首。

重九日，與諸老雅集紫金山天文臺。

汪方湖（辟疆）先生惠貽詩幅，賦七言律一首以謝。

所作〈還都頌〉蒙成都朝陽學院編入講章。

十月，中央政治學校校友會爲慶祝校長奉化蔣公六十華誕，於該校內所籌建之介壽堂竣工，請先生撰〈介壽堂頌〉勒石。今文收《楚離樓駢體文》內篇頁29-30。

臘月某日，母紀太夫人七十大壽之日，籌燈永夕，成〈壽母辭〉七言律二首。詩曰：「觸人曾贄九如辭，欲壽慈親轉費思。誰遣獨勞輪燕息，我緣多難負烏私。神魂枉說通千里，喜懼翻教迸一時。楚尾吳頭風雪裏，未成迎養況歸遲。」「七十稀齡古所難，北堂今日合罏歡。豈無棣萼輝庭綵，信有萱花耐歲寒。一事兒成封鮓介，百年天許杖鳩安。燈前寫就長春頌。說與諸雛仔細看。」

中華民國三十七年　　　戊子（西元1948）　　　先生三十九歲

先生在南京，曾遊玄武湖、過桃花渡、燕子磯、小九華、五臺山、掃葉樓、玄武門等名勝，均有詩誌感。

元旦，戴考試院長傳賢躬率同僚趨謁明德樓，先生適預盛典，油然生起敬之心。因念樂崩禮壞，世衰道微，人慾橫流，罔知所屆，今欲遏亂萌，樹邦本，上承列祖之文化，下開萬代之太平。則崇仰聖哲，昭示禮儀，其爲效必迅且鉅。蓋時會習俗，雖有萬殊，而非教無以淑群，非禮無以立國，故準四海而皆然，俟百世而不惑也。爰備著其事，賦〈元旦明德樓紀事〉五言律二首，以爲後之論道經邦者告焉。

二月一日，印度領袖甘地爲暴徒狙擊殞命，撰〈悼聖雄甘地〉

五言律一首並序，詳見《楚望樓詩》頁111。

成〈感九龍事〉五言律二章。

三月十五日，與同人假笛榭爲冒鶴亭先生七秩晉六誕辰稱觴，兼拜巢民先生遺像。成七言律一首。

三月十六日，三十七年首都高等普通檢定考試委員會主任委員沈士遠聘爲三十七年首都高等普通檢定考試委員會委員。

春，過衡陽，成〈有懷王船山、彭雪琴兩先生二首〉七言絕句，又成〈衡州行館即事〉七言律一首。

三月三十日抵廣州，成七言絕句二首。

四月，國民大會選舉總統、副總統。撰〈選賢二十四韻爲三原于先生作〉五言長古一首。

四月二十二日，國民政府主席蔣中正先生派任爲三十七年第一次高等考試初試典試委員，賦七言律詩三首。

七月三日，喬大壯逝世，先生以長聯輓之，聯曰：「數春風詞筆，獨擅妍華，柳永遇何窮？井水千秋應有恨；聽霜夜鐘聲，頓成凄楚，姑蘇潮正落，江流一碧總無情。」

八月，別南京蘭園，賦【浣溪沙】四闋。今收入《楚望樓詩》頁411-412。

重九日，與諸老雅集五臺山。又先二日曾於花家橋王氏寓廬與葉蒼蚪、汪方湖兩詩老聚飲，賦有七言律詩各一首。

十月四日，陳樹人逝世。即題七言絕句一首於其所貽畫竹後以悼之。另又成五言律詩一首以輓趙熙。

中華民國三十八年　　己丑（西元1949）　　先生四十歲

二月二十二日，考試院長戴傳賢逝世，先生撰長聯以輓之，

聯云：「惟公先天下而憂，至計繫安危，衡文禮佛都餘事；更誰教國人的孝？遺徽在倫紀，正俗經邦此大原。」

三月，先生在粵西，調考試院參事。成〈西江雜詩〉七言絕句十首，〈梧州大水即事〉五言律詩四首等。

三月三十日，抵廣州，成七言絕句二首。詳見《楚望樓詩》頁139。

中共發動全面攻擊，並在荻港渡過長沙。四月二十三日國軍撤離南京。又太原陷匪，先生曾代題五百完人祠：「自田橫五百士以來，取義成仁，別開青史；復燕雲十六州之舊，滌瑕蕩穢，且看黃河」長聯一副。

五月三十日，代總統李宗仁派任為考試院參事。

七月十七日，長女中芬忽得高熱病，病亟，醫為注強心針，竟無效。得年僅八歲耳，葬梧州負郭北山松林下。賦〈芬兒哀辭〉四首誌哀。

立秋日，飛抵渝城，受聘正陽法學院教授。賦五、七言律詩各一首，以示諸生，嗣過牛角沱，抵成都，皆有五言律詩為紀。另有〈五津記事〉五言長古一首。

十月二十六日，國史館聘先生為該館纂修。

十二月二十七日，國軍撤出成都。歲杪，別成都東行，有詩寄夫人素瓊。抵臺後，暫住龍峒酒泉街畔之孔廟，曾遊貝塚，過臺北橋、北投等地。元旦，至植物園觀荷，皆有五言律詩為紀。

中華民國三十九年　　　　庚寅（西元1950）　　　先生四十一歲

先生在臺北。

春，先生與萬類、劍萍等同登草山看櫻花，成七言律一首。

上巳，應三原于右任、沁水賈煜如二位大老之邀，修禊事於士林之新蘭亭。是日天宇澄清，惠風和暢，預會者陳含光、張默君、溥心畬、彭醇士、盧潤生、鍾槐村、李漁叔、陳定山等，凡百二十人。當場賦七言律詩一首。

春，喜獲夫人素瓊自三巴寄來之家書，成五言律詩一首。嗣移居士林，觀其首聯：「一月三移舍，新居傍士林。」當時生活之不定，當可想見。

重陽日，三原老人于右任以南臺之魁，作東道之主，柬邀群彥，集於士林，於是賦七言律詩〈海上重九〉一首。嗣以考試院相地景美鎮外，籌建邸舍，於是與同僚往遊，並乘興登指南宮，賦〈景美紀事〉五言律詩四首。

秋闈，評閱考生曾霽虹所答國文試卷，給予滿分，曾生高中後，復贈以〈拔汝抑塞磊落之才〉序文及詩章。

冬，與考試院同僚往遊指南宮，因撰〈遊指南宮記〉，今文收《楚望樓駢體文》內篇卷三，頁483。

十一月夫人攜子女由漢口奔深圳、經香港，渡輪由基隆上岸，與先生團聚。

中華民國四十年　　　辛卯（西元1951）　　　先生四十二歲

先生於四十二歲生日前夕，取詩篇中有關東方日本之事者，綜為一篇，交付出版，並撰〈蓬海集跋〉，今文收《楚望樓駢體文》續篇頁163。

清明日，得家書。有五言律詩為紀。詳見《楚望樓詩》頁183。

仲秋，考試院舉行第二十屆高等文官考試，先生受聘為典試

委員，撰〈瀛州校士記〉，今文收《楚望樓駢體文》內篇卷三，頁395-396。

九月十日，總統蔣中正先生派任爲四十年公務人員高等考試典試委員。

十月十一日，考試院代理院長鈕永建派任爲中央信託局僱用人員升等考試委員會委員。

十月十二日地震，有五言律詩爲紀，詳見《楚望樓詩》頁179。

十月，受託撰〈沈鴻烈先生七秩壽序〉，今文收《楚望樓駢體文》外篇頁62-66。

十一月二十三日，總統府資政居正逝世，先生製：「義旗樹江漢先聲，任學生軍統領，作革命黨前驅，赫赫風雲，開國相看幾元老；文字見秀才本色，譜齊天樂十章，撰行役吟三首，拳拳名教，蓋棺無愧一耆儒。」長聯以輓之。

中華民國四十一年　　　壬辰（西元1952）　　　先生四十三歲

九月十四日，總統蔣中正先生派任爲四十一年公務人員高等考試典試委員。

十二月一日，中華文化學會聘爲該會作審議委員會委員。

中華民國四十二年　　　癸巳（西元1953）　　　先生四十四歲

上巳，先生應韜園及三原于公之邀，躬預新蘭亭禊集，成七言律詩一首。

三月，受託撰總統府資政〈吳忠信先生七秩壽序〉，今文收《楚望樓駢體文》外篇頁 1-7。復撰〈張知本先生七秩晉三暨重

遊泮水紀紀念序〉，今文收《楚望樓駢體文》外篇頁35-40。

八月，中國文化學會詩詞國學函授學校校長姚琮聘為該校教授。

八月十九日，總統蔣中正先生派任為四十二年公務人員高等考試典試委員。

十月三十日，吳敬恆逝世。有聯輓之。聯曰：「與閒鷗野鶴為隣，軒冕謝殊榮，讓德差同吳季子；極奔驥怒猊之妙，縑緗寶遺墨，工書直比李陽冰。」詳見《楚望樓聯語》頁39。

十一月二十七日，韓總統李承晚首次訪華。壽韓國李大總統承晚，撰七言律詩一首。詳見《楚望樓詩》頁198。

中華民國四十三年　　　甲午（西元1954）　　　先生四十五歲

元月二十三日，中韓反共義士二萬一千七百九十人恢復自由，二十七日全部蒞臺，先生撰有〈義士〉古風及五言律詩共二首，茲如：「古有復仇投博浪之椎，嘗膽雪會稽之恥；乃至田橫五百，周武三千，所爭祇是自由耳。人非水火不生活，自由之貴差足擬；誓摧鐵幕補金甌，四萬萬人齊奮起。」乃警句也，詳見《楚望樓詩》頁217-218。

八月一日，詩文之友社聘為該社編輯委員。

八月十九日，總統蔣中正先生派任為四十三年公務人員高等考試典試委員。

十月，中國文藝協會第五屆理事會聘為該會第五屆理事會設計委員會常務委員。

十二月二十三日總統蔣中正先生派任為總統府參事；蒙總統蔣公召見，以進德修業為勖。

中華民國四十四年　　　乙未（西元1955）　　　先生四十六歲

一月二十日，浙海一江山之役，我守軍全部壯烈成仁，撰〈一江山〉七言律詩一首以悼之，詳見《楚望樓詩》頁205。

二月六日，我政府決定將大陳駐軍轉移金門、馬祖。大陳區義胞一萬七千餘人，全部志願疏散來臺。美總統艾森豪宣稱美決協防金、馬。先生有〈感事〉〈春感〉之作。

閏上巳，先生同張魯恂、賈韜園、姚昧辛諸老，同遊碧潭，有五言律詩爲紀。詳見《楚望樓詩》頁208。

夏夜，賈煜老招飲，並示新篇，有五言律詩一首爲紀。

八月，受託撰〈余漢謀先生六秩壽序〉，文見《楚望樓駢體文》外篇，頁232-234。

九月，國立政治大學校長陳大齊聘爲該校國文兼任教授（聘期自四十四年九月起至四十五年七月底止）。

十二月十四日（夏曆十月朔日）環蝕，臺灣全島可見。是夕，張默君等招飲玉漵山房，適聞蔣廷黻代表已在聯合國否決外蒙古入會，成七言絕句三章以示同座。

中華民國四十五年　　　丙申（西元1956）　　　先生四十七歲

西藏東北部發生騷動，抗暴力量日益壯大。

春，與何武公、張劍芬、吳萬谷、張眉叔、劉宗烈、姚蒸民等同遊宜蘭。

先生長公子中英，於四十五年高等考試外交人員及格，喜賦七言律句一首以勉之。送長子中英赴華盛頓大學留學。

五月二十八日，總統蔣中正先生派任爲四十五年特種考試社會教育行政人員考試典試委員。

八月九日，總統蔣中正先生派任爲四十五年公務人員高等考試典試委員。

九月，國立政治大學校長陳大齊聘爲該校國文兼任教授（聘期自四十五年九月起至四十六年七月底止）。

十一月十日，總統蔣中正先生派任爲四十五年第二次特種考試郵政人員考試典試委員。

中華民國四十六年　　　丁酉（西元1957）　　　先生四十八歲

春，先生遊烏來，有〈烏來紀遊〉七言絕句四章爲紀。

三月受託撰〈莫德惠先生七秩晉五壽序〉，文見《楚望樓駢體文》外篇，頁124-126。

又代河南同鄉會撰〈李敬齋先生七秩壽序〉，文見《楚望樓駢體文》續編頁215-216。

五月，丁酉詩人節自由中國詩人大會會長賈景德聘爲該大會顧問。

五月二十日，教育部長聘爲該部國文教育委員會委員。

六月，獲頒總統府考績獎狀。

七月，國立政治大學校長陳大齊聘爲該校「詩選及習作」兼任教授（聘期自四十六年九月起至四十七年七月底止）。

七月，受託撰〈龐松舟先生七秩壽序〉，文見《楚望樓駢體文》外篇頁196-198。

八月九日，總統蔣中正先生派任爲四十六年公務人員高等考試典試委員。

重九日，新北投登高。成七言律詩一首，詳見《楚望樓詩》頁241。

　　與王壯爲同登凌雲寺，有七言律詩一首爲紀。詳見《楚望樓詩》頁247。

　　九月二十七日，臺灣省立師範大學代理校長杜元載聘爲該校文學院國文學系兼任教授（聘期自四十六年八月十六日起至四十七年一月三十一日止）。

中華民國四十七年　　　戊戌（西元1958）　　　先生四十九歲

　　二月五日，臺灣省立師範大學代校長杜元載聘爲該校文學院國文學系兼任教授（聘期自四十七年二月十六日起至四十七年七月三十一日止）。

　　三月，先生受託撰〈于右任先生八秩壽序〉，今文收《楚望樓駢體文》外篇頁84-89。

　　八月一日，國立政治大學校長陳大齊聘爲該校「詩選及習作」兼任教授（聘期自四十七年九月起至四十八年七月底止）

　　八月九日，總統蔣中正先生派任爲四十七年公務人員高等考試典試委員。

　　九月，臺灣省立師範大學代理校長杜元載聘爲該校文學院國文學系兼任教授（聘期自四十七年八月十六日起至四十八年一月三十一日止）。

　　中秋日，賦七言律詩一首，寄哈佛大學之長子中英。

　　九月十日，亞洲詩壇社社長彭國棟聘爲該社指導委員。

　　九月二十日，總統蔣中正先生派任爲四十七年特種考試交通部電信總局業務技術人員考試典試委員。

　　十月，自行出版《藏山閣駢文》一冊。

中華民國四十八年　　　己亥（西元1959）　　　先生五十歲

二月二十二日，戴傳賢逝世十周年紀念日，先生作五言律詩一首以追悼之，詳見《楚望樓詩》頁253。

二月二十八日，清明節於溪上作七言律詩一首，詳見《楚望樓詩》頁254。

三月二十日，西藏人民不堪中共欺壓，激起反共抗暴革命，大舉進攻拉薩。上巳後一日，先生作七言律詩一首，時西藏抗暴運動方熾，詳見《楚望樓詩》頁254。

六月既望，畢莉颱風自菲馬直襲北臺，是夕二時許，狂飆愈怒，勢欲移山，猛雨連傾，聲疑撼屋。頃刻之間，已層階掩沒，積潦縈迴，燭剪三條，波添一尺，圖書雞犬，半委於洼池，荇藻蛇蛙，交陳予曲巷。被禍之烈，十載以來所未有也。因撰〈獰焱肆虐記〉，今文收《楚望樓駢體文》內篇卷三，頁43。

七月，受託撰〈賈景德先生八秩壽考〉，今文收《楚望樓駢體文》外篇頁110-112。

八月一日，臺灣省立師範大學校長杜元載聘爲該校文學院國文學系兼任教授（聘期自四十八年八月十六日起至四十九年一月三十一日止）。

八月一日，國立政治大學校長劉季洪聘爲該校「駢體文」兼任教授（聘期自四十八年九月起至四十九年七月底止）。

八月七日，臺灣省中南部發生八級狂風暴雨，釀成六十於年來最大之水災，因作五言律詩〈大水〉三首，詳見《楚望樓詩》頁256。又愛美颱風襲擊溝子口，公私廨舍，水深及簷，默坐山房，亦賦五言律詩一首。

八月九日，總統蔣中正先生派任爲四十八年公務人員高等考

試典試委員。

中華民國四十九年　　　庚子（西元1960）　　　先生五十一歲

二月，獲頒總統府考績獎狀。

二月，臺灣省立師範大學校長杜元載聘爲該校文學院國文學系兼任教授（聘期自四十九年二月十六日起至四十九年七月三十一日止）。

二月，先生受託撰〈萬耀煌先生七秩壽序〉，文見《楚望樓駢體文》外篇頁207-210。

庚子上巳，瀛社雅集碧潭，先生同于右任、賈景德、陳含光、張昭芹諸公與會。撰有〈記碧潭禊集〉專文，詳見《楚望樓駢體文》續編頁350。

三月十六日，中美聯合兩棲登陸「藍星」作戰演習展開序幕。二十七日圓滿完成任務。

四月，閱中山獎學金留學考試國文試卷。

四月一日，中國青年寫作協會聘爲該會主辦之「中國青年詩詞函授學校」指導委員兼教授。

美總統艾森豪在記者招待會中，重申美協防臺灣與澎湖立場。賦五言律詩一首，詳見《楚望樓詩》頁268。

五月二十日，蔣中正當選第三任總統。代黃埔同學會撰〈劉經扶先生七秩壽序〉，文見《楚望樓駢體文》續編頁222-224。

七月，受託撰〈宗孝忱先生七秩壽序〉，文見《楚望樓駢體文》外篇頁285-286。

七月二十二日，國立政治大學校長劉季洪聘爲該校「駢文」兼任教授（聘期自四十九年九月起至五十年七月底止）。

八月，臺灣省立師範大學校長杜元載聘爲該校文學院國文學系兼任教授（聘期自四十九年八月十六日起至五十年一月三十一日止）。

八月九日，總統蔣中正先生派任爲四十九年公務人員高等考試典試委員。

八月十六日，監察院投票同意總統提名第三屆考試院院長莫德惠，副院長程天放，與楊亮功、成惕軒等十九位爲考試委員。

八月十七日，總統蔣中正先生特派爲考試院考試委員。

秋，移居來鳳簃，因撰〈來鳳簃記〉，今文見《楚望樓駢體文》內篇卷三，頁477。以舍前有鳳凰木一。圓蓋伴桑，貞柯儷柏，霜根貫石，黛色凌空，乃錫嘉名。

十月十六日，總統蔣中正先生派任爲四十九年第二次特種考試外交領事人員考試典試委員。

十月二十日，考試院長賈景德逝世，先生有五言律詩一首以悼之，詳見《楚望樓詩》頁274。

十一月，受託撰〈黃杰先生六秩壽序〉，文見《楚望樓駢體文》外篇頁243-246。

中華民國五十年　　　辛丑（西元1961）　　　先生五十二歲

二月六日，總統蔣中正先生派任爲五十年特種考試司法人員考試典試委員。

春，先生爲美國協防臺灣司令史慕德中將，撰其令堂〈聶斯特太夫人八秩壽慶紀念冊序〉，今文收《楚望樓駢體文》續編頁271-272。

二月二十二日，臺灣省立師範大學校長杜元載聘爲該校文學

院國文學系兼任教授（聘期自五十年二月十六日起至五十年七月三十一日止）。

三月，爲越華晚報秦思源社長撰〈虎嘯龍吟集題辭〉讚我空軍雷虎小組，在越南西貢所作之飛行表演。今文收《楚望樓駢體文》續編頁342。

三月，受託撰〈李壽雍先生六秩壽序〉，文見《楚望樓駢體文》外篇頁189-190。今墨跡收《成惕軒先生逝世十週年紀念集》頁64-75。

六月，作〈金門頌〉，今文收《楚望樓駢體文》內篇卷一，頁21-22。

七月二十一日，國立政治大學校長劉季洪聘任爲政大駢體文兼任教授。

七月二十八日，總統蔣中正先生特派爲民國五十年特種考試稅務人員考試典試委員長。

八月，臺灣省立師範大學校長杜元載聘爲該校文學院國文學系兼任教授（聘期自五十年八月十六日起至五十一年一月三十一日止）。

九月一日，總統蔣中正先生派任爲五十年公務人員高等考試典試委員。

十一月四日，總統蔣中正先生派任爲五十年特種考試警察人員考試典試委員。

十二月十七日，總統蔣中正先生派任爲五十年特種考試外交領事人員考試典試委員。

十二月二十四日，過賈韜園先生墓園作五言律詩二首並序，詳見《楚望樓詩》頁279。

於高雄港外，送公子中傑乘「海上」輪赴美留學哈佛大學。

成七言律詩一首，詳見《楚望樓詩》頁282。

歲暮，受託撰〈徐柏園先生六秩壽序〉，文見《楚望樓駢體文》外篇頁179-181。

中華民國五十一年　　壬寅（西元1962）　　先生五十三歲

一月二十八日，總統蔣中正先生派任爲五十一年特種考試軍法人員考試典試委員。

二月十日，臺灣省立師範大學校長杜元載聘爲該文學院國文學系兼任教授（聘期自五十一年二月十六日起至五十一年七月三十一日止）。

七月，先生受託爲總統府資政撰〈許靜仁先生九秩壽頌並序〉，文見《楚望樓駢體文》序編頁210-211。

七月十日，總統蔣中正先生派任爲五十一年臺灣省警備總司令部公務人員升等考試典試委員。

七月二十二日，總統蔣中正先生派任爲五十一年特種考試臺灣省建設人員考試典試委員。

八月六日，臺灣省立師範大學校長杜元載聘爲該校文學院國文學系兼任教授（聘期自五十一年八月起至五十二年七月三十一日止）。

八月二十九日，總統蔣中正先生派任爲五十一年公務人員高等考試典試委員。

九月十二日，總統蔣中正先生派任爲五十一年特種考試退除役軍人轉任公務人員考試典試委員。

九月二十七日，陳方逝世。先生有聯輓之，聯曰：「以濁醪澆塊壘，以修竹寫嵯峨。雅度去俗流遠矣；於帷幄運籌謀，於樞

垣參密勿，舊勳竤悼史書之。」

　　十月二十二日，總統蔣中正先生派任為五十一年特種考試第二次河海航行人員考試典試委員。

　　十二月九日，總統蔣中正先生派任為五十一年特種考試外交領事人員考試典試委員。

　　十二月十二日，總統蔣中正先生派任為五十二年特種考試軍法人員考試典試委員。

中華民國五十二年　　　癸卯（西元1963）　　　先生五十四歲

　　春，先生受託撰〈陶桂林先生七秩壽序〉，文見《楚望樓駢體文》外篇頁304。

　　美國空軍飛虎隊成立二十二週年，來臺訪問，賦五言律詩一首為紀。詩曰：「日馭無疆界，經天在一誠。君看飛虎隊，今訪杜鵑城。往事巴渝憶，層霄瘴癘清。神威知尚爾，狐兔敢相輕。」

　　三月十一日，總統蔣中正先生派任為交通事業現職人緣資位檢徵考試暨交通事業現職人員銓定資位考試典試委員。

　　長公子中英得美哈佛大學哲學博士學位，並受聘夏威夷大學教席。

　　七月二十八日，總統蔣中正先生派任為五十二年特種考試臺灣省經濟建設人員考試典試委員。

　　七月三十日。國立政治大學校長劉季洪聘為該校「駢體文」兼任教授（聘期自五十二年八月起至五十三年七月底止）。

　　八月十四日，臺灣省立師範大學校長杜元載聘為該校文學院國文學系兼任教授（聘期自五十二年八月一日起至五十三年七月三十一日止）。

　　八月二十九日，總統蔣中正先生派任爲五十二年公務人員高
等考試典試委員。

　　九月十二日，總統蔣中正先生派任爲五十二年特種考試第二
次河海航行人員考試暨五十二年特種考試驗船考試典試委員。

　　十月，爲中華民國健康長壽會全體理監事暨會員撰〈總統蔣
公七秩晉七壽頌〉恭祝嵩壽，今文收《成惕軒先生紀念集》頁
142-143。

　　十月二十七日，總統蔣中正先生派任爲五十二年特種考試外
交領事人員考試典試委員。

　　十一月十六日，總統蔣中正先生特派爲五十二年中央各機關
公務人員升等考試暨招商局輪船股份有限公司高員級升資考試典
試委員長。

　　十一月二十四日，總統蔣中正先生派任爲五十二年特種考試
警察人員考試典試委員。

　　十一月二十日，總統蔣中正先生派任爲五十二年特種考試司
法行政部調查局調查人員考試典試委員。

中華民國五十三年　　　　甲辰（西元1964）　　　先生五十五歲
　　一月十六日，總統蔣中正先生派任爲五十三年特種考試軍法
人員考試典試委員。

　　二月，私立中國文化學院董事長張其昀聘爲該院中國文化研
究所文學門兼任教授。

　　二月三日，總統蔣中正先生派任爲五十三年臺灣省政府暨所
屬各機關學校公務人員升等考試典試委員。

　　二月六日，總統蔣中正先生派任爲五十三年特種考試臺灣省

鄉鎮區縣轄市村里自治行政人員考試典試委員。

　　四月，先生受託爲前國民政府參事撰〈彭蘇青先生八秩壽序〉，文見《楚望樓駢體文》續編頁200-202。

　　四月十二日，總統蔣中正先生派任爲五十三年特種考試第一次河海航行人員考試典試委員。

　　七月十日，總統蔣中正先生派任爲五十三年特種考試關務人員考試典試委員。

　　七月二十日，臺灣省立師範大學校長杜元載聘爲該校文學院國文學系兼任教授（聘期自五十三年八月一日起至五十四年七月三十一日止。）

　　七月二十八日，總統蔣中正先生派任爲五十三年特種考試臺灣省經濟建設人員考試典試委員。

　　八月十日，國立政治大學校長劉季洪聘爲該大學中國文學研究所兼任教授講授駢文課程（自五十三年八月起至五十四年七月止）。

　　八月十七日，總統蔣中正先生派任爲五十三年特種考試警察人員考試典試委員。

　　八月二十九日，總統蔣中正先生派任爲五十三年公務人員高等考試典試委員。

　　九月四日親書：「萬里鵬程看比翼，百年鴻案祝齊眉」，對聯賀羅宗濤先生與陳靜雅小姐新婚嘉禮。

　　九月十五日，總統蔣中正先生派任爲五十三年特種考試經濟部所屬事業機構工務員技術員及管理員考試暨五十三年特種考試國營事業機關會計統計人員考試典試委員。

　　九月十七日，總統蔣中正先生派任爲五十三年特種考試第二

次河海航行人員考試暨五十三年特種考試驗船師考試典試委員。

十月十一日，總統蔣中正先生派任爲五十三年特種考試外交領事人員考試典試委員。

十月十三日，總統府資政許世英逝世。先生撰有輓聯以悼之，聯曰：「年逾九十，望則視伏勝尤高，溯甘棠聽政，英簜修盟，敭歷極清華，垂老仍參夔契席；節近重陽，公又繼韜園而逝，悵茰佩無靈，薤歌載唱，山邱正零落，撩人偏送鯉魚風。」

十一月十日，監察院院長于右任病逝。先生撰聯以悼之。聯曰：「曠懷非于定國所能，榮逾華袞，樸若布衣，觸詠接孤寒，那復門風矜駟乘；同里繼李衛公而起，胸抒雄謨，手光舊物，鼎鐘銘閥閱，固應海客陋虬髯。」

中華民國五十四年　　　乙巳（西元1965）　　　先生五十六歲

一月二十七日，總統蔣中正先生派任爲五十四年特種考試國防部行政及技術人員考試典試委員。

二月十日，亞洲詩壇社社長聘先生爲該社名譽社長。

三月，五十四年檢定考試委員會主任委員李壽雍聘爲五十四年檢定考試委員會委員。

三月五日，陳誠副總統因肝癌逝世。先生撰聯一副以輓之，聯曰：「自黃埔建軍伊始，密贊機衡，磐石屹無移，宜其爲蒼生安危所寄；舉青田誠意相方，交輝名業，大星驚忽隕，何以紓元首宵旰之憂。」

四月二十四日，總統蔣中正先生派任爲五十四年特種考試第一次河海航行人員考試暨五十四年特種考試引水人考試典試委員。

五月，應聘爲臺灣師範大學國文研究所研究生賴炎元〈董仲

舒研究〉碩士論文考試口試委員。另又為臺灣大學中文研究所研究生何慶華〈關漢卿及其作品〉碩士論文考試口試委員。

五月十七日，總統蔣中正先生派任為五十四年特種考試社會工作人員考試典試委員長。

七月十三日，總統蔣中正先生派任為五十四年特種考試唐榮鐵工廠股份有限公司技術及管理人員考試典試委員。

七月十八日，總統蔣中正先生派任為五十四年特種考試中央信託局業務人員考試典試委員。

七月二十五日，總統蔣中正先生派任為五十四年特種考試臺灣省經濟建設人員考試典試委員。

七月二十九日，長孫光夏生，賦五言律詩四首。

八月一日，總統蔣中正先生派任為五十四年特種考試退除役軍人轉任公務人員考試典試委員。

八月十六日，臺灣省立師範大學校長杜元載聘為該校文學院國文學系兼任教授（聘期自五十四年八月一日起至五十五年七月三十一日止）。

八月二十九日，總統蔣中正先生派任為五十四年公務人員高等考試典試委員。

九月十四日，國立政治大學校長劉季洪聘為該大學中國文學研究所兼任教授講授韻文研究課程（自五十四年八月起至五十五年七月止）。

九月二十七日，私立中國文化學院董事長張其昀聘為該院中國文學系兼任教授（自五十四年八月一日起至五十五年七月三十一日）。

十月十九日，總統蔣中正先生派任為五十四年中央各機關公

務人員升等考試典試委員。

十月二十三日，總統蔣中正先生派任爲五十四年特種考試警察人員考試典試委員。

十一月七日，總統蔣中正先生派任爲五十四年特種考試外交領事人員考試典試委員。

十一月十二日，國父百年誕辰之前一年，全國各界隆重紀念，蔣總統親臨主持國父紀念館奠基典禮。先生應邀觀禮，賦五言長古一首。見《楚望樓詩》頁315-316。

十二月二十三日，總統府資政鈕永建逝世，先生以聯輓之，聯曰：「試院記相從，爲五百完人塚製聯，曾邀俊賞；仙槎嗟不返，願千萬革命軍破賊，早慰遐靈。」

十二月二十五日，總統蔣中正先生派任爲五十四年特種考試交通事業電信人員考試典試委員。

中華民國五十五年　　　丙午（西元1966）　　　先生五十七歲

一月十六日，總統蔣中正先生派任爲五十五年特種考試軍法人員考試典試委員。

二月五日，總統蔣中正先生派任爲五十五年臺灣鐵路管理局現職人員資位檢覈考試典試委員長。

二月六日，總統蔣中正先生派任爲五十五年特種考試交通事業郵政人員考試及五十五年交通事業郵政人員升資考試典試委員。

三月，五十五年檢定考試委員會主任委員李壽雍聘爲五十五年檢定考試委員會委員。

三月，湖北文獻社發行人兼社長萬耀煌聘先生爲該社指導委員。

　　三月五日，總統蔣中正先生派任為五十五年特種考試臺灣省稅務人員考試典試委員。

　　四月二十三日，總統蔣中正先生派任為五十五年特種考試第一次河海航人員考試典試委員。

　　五月二十七日，總統蔣中正先生派任為五十五年臺灣省政府暨所屬各機關學校公務人員升等考試典試委員。

　　六月，應聘為政治大學中文研究所研究生吳德風〈鮑照生平及其作品校正〉碩士論文考試口試委員。

　　七月十六日，總統蔣中正先生派任為五十五年特種考試司法行政部調查局調查人員考試典試委員。

　　七月三十一日，總統蔣中正先生派任為五十五年特種考試臺灣省經濟建設人員考試典試委員。

　　八月，臺灣省立師範大學校長杜元載聘為該校文學院國文學系兼任教授（聘期自五十五年八月一日起至五十六年七月三十一日止）。

　　八月八日，總統蔣中正先生派任為五十五年特種考試警察人員考試典試委員。

　　八月十二日，國立政治大學校長劉季洪聘為該大學中國文學研究所兼任教授講授詩學研究課程（自五十五年八月起至五十六年七月止）。

　　八月十五日，總統蔣中正先生特任為第四屆考試院考試委員。

　　八月二十九日，總統蔣中正先生派任為五十五年公務人員高等考試典試委員。

　　九月，私立中國文化學院董事長張其昀聘為該院中國文學系兼任教授（自五十五年八月一日起至五十六年七月三十一日）。

十月一日，總統蔣中正先生派任爲五十五年特種考試第二次河海航人員考試暨五十五年特種考試引水人考試典試委員。

十月二十日，總統蔣中正先生派任爲五十五年特種考試關務人員考試典試委員。

十一月一日，先生爲烏拉圭國愛蘭娜女士撰〈孟部中山學院記〉，原稿墨跡今收入《成惕軒先生紀念集》頁173-174。

十一月，受託撰〈張維翰先生八秩壽序〉，文見《楚望樓駢體文》外篇頁157。

十一月十二日，興建於陽明山之中山樓中華文化堂正式落成，蔣總統明定國父誕辰紀念日爲中華文化復興節，積極展開文化復興運動，先生受聘爲委員。

十一月十二日，總統蔣中正先生派任爲五十五年特種考試外交領事人員考試典試委員。

歲暮，受託撰〈黃母莊太夫人九秩晉一壽序〉，文見《楚望樓駢體文》頁308-310。

中華民國五十六年　　　丁未（西元1967）　　　先生五十八歲

二月一日，總統蔣中正先生派任爲五十六年特種考試國防部行政及技術人員考試典試委員。

二月十一日，前國民政政府主席林森百年冥誕，先生特製：「圖像穆清風，對如雪修髯，恍親德宇；垂衣輝盛業，願在天偉魄，長護神州。」長聯一副以紀念之。

二月十八日，總統蔣中正先生派任爲五十六年特種考試中國農民銀行行員考試典試委員。

三月，五十六年檢定考試委員會主任委員李壽庸聘爲五十六

年檢定考試委員會委員。

五月二十日，總統蔣中正先生派任爲五十六年特種考試關務人員考試典試委員。

六月，中華學術院院長張其昀聘爲該院研士。

六月，指導臺灣師範大學國文研究所研究生陳弘治撰寫〈李長吉歌詩校釋〉論文，該生經口試通過，獲文學碩士學位。論文刊入該所集刊第十二號。同時，又指導該所研究生張學波撰寫〈孟浩然詩校注〉論文，亦經口試通過，獲文學碩士學位。另又爲該所陳滿銘〈稼軒長短句研究〉、徐文助〈淮海詩注附詞校注〉碩士論文考試口試委員。同時又應聘爲中國文化大學中文研究所研究生胡明珽〈楊萬里詩評述〉碩士論文考試口試委員。

七月二十二日，總統蔣中正先生派任爲五十六年特種考試臺灣省經濟建設人員考試典試委員。

八月十二日，總統蔣中正先生派任爲五十六年交通事業郵政人員考試典試委員。

八月二十九日，總統蔣中正先生派任爲五十六年公務人員考試典試委員。

九月十一日，國立政治大學校長劉季洪聘爲該大學中國文學研究所兼任教授講授駢文研究課程（自五十六年八月起至五十七年七月止）。

十月，應全國各級民衆團體（一千餘單位、百萬會員）之請，爲慶祝總統蔣公八秩華誕而撰〈嵩海頌〉，今文收《楚望樓駢體文》內篇卷一，頁38-40。

十月二十三日，總統蔣中正先生派任爲五十六年中央各機關公務人員升等考試典試委員長。

　　八月二十六日，總統蔣中正先生派任爲五十六年特種考試交通事業電信人員考試典試委員。

　　十一月二十三日，總統蔣中正先生派任爲五十六年特種考試外交領事人員考試典試委員。

　　十二月二十四日，總統蔣中正先生派任爲五十六年特種考試中央信託局辦事員考試典試委員。

中華民國五十七年　　　戊申（西元1968）　　　先生五十九歲

　　一月五日，總統蔣中正先生派任爲五十七年特種考試臺灣省主計人員考試典試委員長。

　　一月二十七日，總統蔣中正先生派任爲五十七年特種考試軍法人員考試典試委員。

　　先生答烏拉圭愛蘭娜女史，成七言律詩一首並序，詩曰：「粲粲蘭蓀絕世姿，亦莊亦秀亦魂奇。每君繡閣無雙筆，寫我春城雜感詞。域外朝陽宜起鳳，漢家文物許探驪。因風寄語蕭夫子，吾道西行儻此時。」

　　三月，中華學術院院長張其昀聘爲該院詩學研究所研究委員（自五十七年三月一日起至五十八年七月三十一日）。

　　三月，私立中國文化學院董事長張其昀聘爲該院詩學研究所研究委員（自五十七年三月一日起至五十八年七月三十一日）。

　　上巳前夕，即青年節之翌日，應張曉峯先生之邀，赴華岡禊集，與會者有張純鷗、彭醇士、張默君諸老。

　　四月十九日，總統蔣中正先生派任爲五十七年特種考試第一次河南航行人員考試典試委員。

　　五月，受託撰〈張群先生八秩壽序〉，文見《楚望樓駢體文》

外篇頁135-138。

　　五月一日，中醫師考試檢定考試委員會主任委員周邦道聘爲五十七年中醫師考試檢定考試委員。

　　五月一日，受聘爲中國文化學院中文研究所研究生葉光榮、黃曉玲論文口試委員。

　　五月二十二日，五十七年特種考試公務人員甲等考試典試委員會典試委員長孫科聘爲五十七年特種考試公務人員甲等考試應考人著作審查委員。

　　六月十二日，立法院長張道藩逝世，先生以長聯輓之，聯曰：「青衫奮起夜郎西，數明時際會雲龍，一德差酬元首眷；白日昭回霄漢上，願毅魄馳驅風馬，九州早遣赤眉平。」

　　六月二十二日，總統蔣中正先生派任爲五十七年特種考試司法行政部調查局調查人員考試典試委員。

　　七月一日，臺北市改制爲直轄市週年，市郊士林、北投、內湖、南港、景美、木柵等六鄉鎮正式歸併臺北市。先生所服務之考試院與所居宿舍，適亦併入臺北市。

　　七月，受託撰〈任母陳太夫人悅慶紀念冊序〉，文見《楚望樓駢體文》續編頁236-237。

　　七月二十七日，總統蔣中正先生派任爲五十七年特種考試警察人員考試典試委員。

　　八月，五十七年特種考試公務人員甲等考試典試委員會典試委員長孫科聘爲五十七年特種考試公務人員甲等考試口試委員。

　　八月，國立師範大學校長孫亢曾聘爲該大學文學院國文研究所教授（自五十七年八月一日起至五十八年七月三十一日止）。

　　八月九日，總統蔣中正先生派任爲五十七年特種考試人事行

政及主計人員考試典試委員。

八月二十八日，總統蔣中正先生派任爲五十七年公務人員高等考試典試委員。

八月三十一日，國立政治大學校長劉季洪聘爲該大學中國文學研究所兼任教授講授詩學研究課程（自五十七年八月起至五十八年七月止）。

中秋節全蝕，是夕七時許，瑩璧斂輝，移時始復，據天文家言，中秋遇此者，千年才七度。於是賦七言律詩一首以紀之。詩曰：「迢遞鄉心碧海知。歸帆又負桂香時。卻從蓬島秋高夜，追和盧仝月蝕時。九萬里風憑盪決，一千年事悟成虧。金甌補後須重醉，乞取清光照習池。」

九月十四日，總統蔣中正先生派任爲五十七年特種考試國軍退除役軍官轉任公務人員考試典試委員。

九月二十七日，總統蔣中正先生派任爲五十七年特種考試臺灣省經濟建設人員考試典試委員。

十月，爲中華民國各級民眾團體，撰〈總統蔣公八秩晉二嵩慶致敬文〉，今墨跡收入《成惕軒先生紀念集》頁144-147。

十月十二日，總統蔣中正先生派任爲五十七年特種考試外交領事人員考試典試委員。

十月十四日，總統蔣中正先生派任爲五十七年特種考試第二次河海航行人員考試典試委員。

十月二十四日，總統蔣中正先生派任爲五十七年特種考試交通事業電信人員考試及交通事業電信人員升資考典試委員。

十二月六日，總統蔣中正先生派任爲五十七年特種考試社會工作人員考試典試委員。

中華民國五十八年　　　己酉（西元1969）　　　先生六十歲

一月十日，總統蔣中正先生派任為五十八年特種考試財政金融暨地政人員考試典試委員。

二月五日，總統蔣中正先生派任為五十八年特種考試國防部行政及技術人員考試典試委員。

孟春，先生於試院路七十四號寓邸偏東隙地，添築小樓，以為藏庋圖書之所，樓區上下二室，高各逾尋，廣不盈丈，自經始迄落成，凡歷時十又一日，顏曰壺樓，蓋以狀其形，兼志其小也。因撰〈壺樓記〉，文收《楚望樓駢體文》內篇卷三，頁425-426。

三月，五十八年檢定考試委員會主任委員李壽雍聘為五十八年檢定考試委員會委員。

三月二十一日，總統蔣中正先生派任為五十八年特種考試交通事業民航人員考試暨交通事業民航人員升資考試典試委員。

四月十日，總統蔣中正先生派任為五十八年特種考試第一次河海航行人員考試典試委員長。

五月，中華學術院院長張其昀聘為該院中華詩學月刊社編輯委員（自五十八年五月一日起至五十九年七月三十一日）。

七月，指導臺灣師範大學國文研究所研究生張仁青撰寫〈中國駢文發展史〉論文，該生經口試通過，獲文學碩士學位。同時，又指導該所研究主張友明撰寫〈長江集校注〉，亦經口試通過，獲文學碩士學位。另又為該所張夢機〈近體詩方法研究〉碩士論文考試口試委員。

七月十六日，總統蔣中正先生派任為五十八年特種考試行政院暨所屬各機關行政及技術人員考試典試委員。

七月十七日上午，美國阿姆斯壯、艾德林、柯林斯，自佛羅

里達州甘迺迪角，乘阿波羅十一號太空船，假農神五號火箭升空，歷航程二十五萬英里，於二十一日下午四時十八分，阿姆斯壯步下登月小艇，遂以人類第一人，踏入月球表面之寧靜海。剋期回駛，凡閱三晝夜。降於中太平洋，由直升機舁寘大黃蜂號海艦上。自啓程至此，歷時八天有奇。先生因撰〈美槎探月記〉，今文收《楚望樓駢體文》內篇卷三，頁444-446。

七月二十一日，總統蔣中正先生派任為五十八年特種考試退除役軍官轉任交通事業人員考試典試委員。

七月三十一日，國立政治大學校長劉季洪聘為該大學中國文學研究所兼任教授講授駢文研究課程（自五十八年八月起至五十九年七月止）。

八月，國立師範大學校長孫亢曾聘為該大學文學院國文研究所教授（自五十八年八月一日起至五十九年七月三十一日止）。

八月一日，總統蔣中正先生派任為五十八年臺灣省政府暨所屬各機關學校公務人員升等考試典試委員。

八月七日，總統蔣中正先生派任為五十八年特種考試交通事業郵政人員考試暨交通事業郵政水運人員升資考試典試委員。

八月二十九日，總統蔣中正先生派任為五十八年公務人員高等考試典試委員。

九月五日，總統蔣中正先生派任為五十八年交通事業電信人員升資考試典試委員。

公子中傑於九月十八日，獲美國哈佛大學授物理學博士學位，喜賦五言長古一首，以告先靈。

九月二十五日，總統蔣中正先生派任為五十八年特種考試警察人員考試典試委員。

　　十月十三日，總統蔣中正先生派任爲五十八年特種考試第二次河海航行人員考試暨五十八年特種考試驗船師考試典試委員。

　　十月二十四日，總統蔣中正先生派任爲五十八年交通事業鐵路人員升資考試典試委員。

　　十月三十一日，中醫師考試檢定考試委員會主任委員周邦道敦聘爲五十八年中醫師考試檢定考試委員。

　　十一月七日，總統蔣中正先生派任爲五十八年特種考試外交領事人員考試典試委員。

　　十一月十七日，總統蔣中正先生派任爲五十八年中央各機關公務人員升等考試典試委員。

　　十二月十一日，總統蔣中正先生派任爲五十八年第二次特種考試行政院暨所屬各機關行政及技術人員考試典試委員。

中華民國五十九年　　　　庚戌（西元1970）　　　先生六十一歲

　　二月，考選部長李壽庸聘爲五十九年行政院暨所屬各機關分類職位公務人員考試第三職等考試主試委員。

　　二月二十日，總統蔣中正先生派任爲五十九年特種考試退除役軍人轉任公務人員考試典試委員。

　　二月二十六日，總統蔣中正先生派任爲五十九年臺北市政府暨所屬各機關學校公務人員升等考試典試委員。

　　二月二十八日，總統蔣中正先生派任爲五十九年特種考試司法行政部調查局調查人員考試典試委員。

　　三月，五十九年檢定考試委員會主任委員李壽雍聘爲五十九年檢定考試委員會委員。

　　四月三日，總統蔣中正先生特派爲五十九年中央各機關現職

派用人員暨臺灣省臺北市現職簡派人員銓定任用資格考試典試委員長。

五月四日，總統蔣中正先生派任為五十九年特種考試中央銀行行員考試典試委員。

五月，中華學術院院長張其昀聘為該院詩學研究所委員（自五十九年七月起至六十年六月三十日止）。

五月十六日，張自忠上將禦倭殉職三十週年紀念，特撰長聯，用揚芬烈。聯曰：「死綏乃真將軍，碧血不磨，合與祁連峙高塚；招魂有賢弟子，長歌當哭，如聞漢水咽秋濤。」

六月十三日，總統蔣中正先生派任為五十九年金馬地區現職公務人員銓定資格考試典試委員。

首夏，先生重遊日月潭，賦五言長古一首。三年後，即癸丑歲暮晴窗，曾以楷書寫過，原稿墨跡，今收入《成惕軒先生紀念集》頁167-168。

七月十日，總統蔣中正先生派任為五十九年特種考試臺灣省經濟建設人員考試典試委員。

七月十一日，國立中央大學理學院院長戴運軌聘為該學院中國文學系兼任教授（自五十九年九月起至六十年七月止）。

七月三十一日，國立政治大學校長劉季洪聘為該大學中國文學研究所兼任教授講授詩學研究課程（自五十九年八月起至六十年七月止）。

八月，國立師範大學校長孫亢曾聘為該大學文學院國文研究所教授（自五十九年八月一日起至六十年七月三十一日止）。

八月十七日，總統蔣中正先生派任為五十九年公務人員高等考試典試委員。

八月二十二日，總統蔣中正先生派任為五十九年特種考試警察人員考試典試委員。

八月二十八日，總統蔣中正先生派任為五十九年特種考試交通事業電信人員考試典試委員。

九月二十九日，總統蔣中正先生派任為五十九年臺北市政府暨所屬各機關現職薦派及委派人員銓定任用資格考試典試委員。

十月，撰〈總統蔣公八秩晉四壽頌〉，今墨跡收《成惕軒先生紀念集》頁148。

十月五日，總統蔣中正先生派任為五十九年特種考試第二次河海航行人員考試暨五十九年特種考試引水人考試再試典試委員。

十月十五日，總統蔣中正先生派任為五十九年特種考試司法人員考試典試委員。

十月十七日，總統蔣中正先生派任為五十九年第二次行政院暨所屬各機關分類職位公務人員考試典試委員。

十月三十日，總統蔣中正先生派任為五十九年臺灣省政府暨所屬各機關現職薦派及委派人員銓定任用資格考試典試委員。

十一月，受託撰〈黃杰先生七秩壽序〉，文見《楚望樓駢體文》外篇頁257-259。

十一月十三日，總統蔣中正先生派任為五十九年特種考試外交領事人員考試典試委員。

十一月二十八日，總統蔣中正先生派任為五十九年特種考試中國銀行行員考試典試委員。

十二月，代臺灣省政府主席陳大慶撰〈澎湖跨海大橋落成紀念碑〉，今文收《楚望樓駢體文》續編頁186-187。

十二月十七日，中華民國健康長壽會理事長楊一峰聘為該會

編譯委員會委員。

中華民國六十年　　　辛亥（西元1971）　　　先生六十二歲

　　一月二十日，總統蔣中正先生派任為六十年特種考試金融事業人員考試典試委員長。

　　二月，六十年檢定考試委員會主任委員李壽庸聘為六十年檢定考試委員會委員。

　　二月一日，總統蔣中正先生派任為六十年特種考試國防部行政及技術人員考試典試委員。

　　二月十三日，總統蔣中正先生特派為六十年特種考試臺灣省地方行政人員考試典試委員。

　　三月，考選部長李壽雍聘為六十年行政院所屬各機關分類職位公務人員考試主試委員。

　　三月四日，總統蔣中正先生派任為六十年特種考試司法行政部調查局調查人員考試典試委員。

　　四月五日，總統蔣中正先生派任為六十年中央及地方各機關現職派用人員銓定任用資格考試典試委員。

　　四月十六日，總統蔣中正先生派任為六十年特種考試第一次河海航行人員考試典試委員。

　　五月七日，總統蔣中正先生派任為六十年交通事業鐵路人員升資考試典試委員。

　　七月，國立師範大學校長孫亢曾聘為該大學文學院國文研究所教授（自六十年八月一日起至六十一年七月三十一日止）。

　　七月十四日，總統蔣中正先生派任為六十年特種考試中央銀行行員考典試委員。

七月十五日，美國總統尼克森宣布明年五月之前訪問中國大陸。我全國各界深表憤慨，紛紛發表聲明，支持政府向美抗議，並盼尼氏懸崖勒馬，維護國際正義。於是先生在十六日，賦〈瀛邊〉七言律詩一首示感。詩曰：「獵獵商飆戒早秋，荒荒白日黯神州。極知惡草仍滋蔓，不謂明珠竟暗投。牛耳幾人矜霸業，鳩媒一例誤靈修。瀛邊小立披初定，終信還都仗習流。」

七月二十三日，總統蔣中正先生派任為六十年特種考試交通事業鐵路人員考試典試委員。

七月二十八日，六十年特種考試公務人員甲等考試典試委員會典試委員長孫科聘為六十年特種考試公務人員甲等考試口試委員。

七月三十日，總統蔣中正先生派任為六十年特種考試交通事業郵政人員考試典試委員。

七月三十一日，國立政治大學校長劉季洪聘為該大學中國文學研究所兼任教授講授騈文研究課程（自六十年八月起至六十一年七月底止）。

仲夏，先生遊梨山，成〈梨山雜詩〉七言絕句十二章。分紀古關溫泉、上達兒、下達兒、武陵農場、福壽農場、達觀亭、環山村諸景。

七月，指導臺灣師範大學國文研究所研究生林茂雄撰寫〈岑嘉州詩校注〉論文，該生經口試通過，獲文學碩士學位。

八月十三日，總統蔣中正先生派任為六十年公務人員高等考試典試委員。

八月二十日，總統蔣中正先生派任為六十年特種考試交通事業電信人員考試典試委員。

九月，中華學術院院長張其昀聘為該院詩學研究所委員（自六十年七月一日起至六十一年八月三十一日止）。

‧ 秋日，先生親撰：「長裘蓋洛陽，志在溥其澤，願為白香山，莫作黃仲則」一詩，勉其弟子政治大學中文研究所研究生陳慶煌。

十月一日，總統蔣中正先生派任為六十年特種考試第二次河海航行人員考試暨六十年特種考試引水人考試典試委員。

十月十五日，總統蔣中正先生派任為六十年特種考試司法人員考試典試委員。

十月二十三日，總統蔣中正先生派任為六十年特種考試退除役軍人轉任公務人員考試典試委員。

十一月二十五日，總統蔣中正先生派任為六十年第二次行政院暨所屬各機關分類職位公務人員考試典試委員。

十二月二十日，總統蔣中正先生派任為六十年中央各機關公務人員升等考試典試委員。

十二月二十一日，司法院長謝冠生逝世。撰聯一副輓之，聯曰：「薄俗化祥刑，虞愛樹美談，都下早傳司寇績；高文輝健筆。數臨池餘事，坊間猶見擘窠書。」

中華民國六十一年　　　壬子（西元1972）　　　先生六十三歲

一月六日，總統蔣中正先生特派為六十一年特種考試國防部情報局情報人員考試典試委員長。

一月十四日，總統蔣中正先生派任為六十一年特種考試關務人員考試典試委員。

正月，遊花蓮，循東西橫貫公路而歸，得七言絕句十四首，分詠蘇澳、南方澳、蘇花公路、花蓮空軍招待所、文化村、長春

祠、燕子口、合歡山、大禹嶺、霧峰茶園、濁水溪諸景。

　　春，代臺灣省政府主席陳大慶撰〈臺中圖書館落成紀念碑〉，今文見《楚望樓駢體文》續編頁190-192。

　　三月，六十一年檢定考試委員會主任委員鐘皎光聘為六十一年檢定考試委員會委員。

　　三月二十七日，總統蔣中正先生派任為六十一年特種考試第一次河海航行人員六十一年特種考試驗船師考試暨六十一年特種考試漁船船員考試典試委員。

　　五月，應邀撰〈總統蔣公連任第五任總統頌辭〉，今文見《楚望樓駢體文》續編頁6。

　　五月二十二日，總統蔣中正先生派任為六十一年特種考試中醫師考試典試委員。

　　六月十六日，總統蔣中正先生派任為六十一年特種考試臺灣省經濟建設人員考試及地方行政人員考試典試委員。

　　六月二十六日，考選部長鐘皎光聘為六十一年中國國際商業銀行行員考試委員會委員。

　　七月，指導臺灣師範大學國文研究所研究生莊雅州撰寫〈曾國藩文學理論述評〉論文，該生經口試通過，獲文學碩士學位。論文刊入該所集刊第十七號。

　　七月二十二日，總統蔣中正先生派任為六十一年特種考試電信財稅及人事行政人員考試典試委員。

　　七月二十六日，考試院長孫科派任為六十一年特種考試交通事業鐵路人員考試主試委員。

　　七月二十六日，應聘為國立師範大學文學院國文研究所高級研究生賴明德、李慧淳博士論文口試委員；八月十六日，為該所

博士研究生婁良樂論文口試委員。

　　七月二十七日，總統蔣中正先生派任為六十一年特種考試第二次河海航行人員考試暨特種考試引水人考試典試委員。

　　八月，國立師範大學校長張宗良聘為該大學文學院國文研究所教授（自六十一年八月一日起至六十二年七月三十一日止）。

　　八月八日，國立政治大學校長劉季洪聘為該大學中國文學研究所兼任教授講授詩學研究課程（自六十一年八月起至六十二年七月底止）。

　　八月十日，監察院同意蔣總統提名第五屆考試院正副院長及成惕軒委員人選，並經蔣總統任命。

　　八月十日，總統蔣中正先生特任為第五屆考試院考試委員。

　　八月十二日，李漁叔病逝。先生撰長聯並序以致哀，詳見《楚望樓聯語》頁63。

　　八月十四日，總統蔣中正先生派任為六十一年特種考試交通事業電信人員考試典試委員。

　　八月二十六日，總統蔣中正先生派任為六十一年公務人員高等考試典試委員。

　　九月十五日，總統蔣中正先生特派為六十一年特種考試國軍退除役通訊人員轉業河海航行人員報務員考試典試委員長。

　　九月二十四日，總統蔣中正先生派任為六十一年特種考試司法人員考試典試委員。

　　十月十一日，總統蔣中正先生派任為六十一年特種考試軍法人員考試典試委員。

　　十月二十六日，總統蔣中正先生派任六十一年金馬地區現職公務人員詮定資格考試及升等考試典試委員。

十一月，中國學府週刊社發行人林煥曾聘爲該社名譽顧問。

十一月十七日，總統蔣中正先生派任爲六十一年特種考試第三次河海航行人員考試暨第二次引水人考試典試委員。

十一月二十七日，總統蔣中正先生派任爲六十一年特種考試外交領事人員考試典試委員。

十二月四日，總統蔣中正先生派任爲六十一年特種考試中央信託局辦事員考試典試委員。

中華民國六十二年　　　癸丑（西元1973）　　　先生六十四歲

二月九日，總統蔣中正先生派任爲六十二年特種考試交通事業郵政人員考試及交通事業郵政人員升資考試典試委員。

二月十一日，總統蔣中正先生派任爲六十二年特種考試國防部行政及技術人員考試典試委員。

三月二日，總統蔣中正先生派任爲六十二年特種考試臺灣省經濟建設人員考試及地方行政人員考試典試委員。

三月二十五日，總統蔣中正先生派任爲六十二年特種考試司法行政部調查局調查人員考試典試委員。

三月二十七日，總統蔣中正先生派任爲六十二年特種考試第一次河海航行人員考試暨特種考試驗船師考試典試委員。

四月四日，總統蔣中正先生派任爲六十二年特種考試關務暨稅務人員考試典試委員。

四月二十三日，總統蔣中正先生派任爲六十二年特種考試國防部情報局情報人員考試典試委員。

五月二十八日，應聘爲中國文化學院中國文學研究所博士班研究生李道顯論文考試口試委員。

　　五月二十九日，總統蔣中正先生派任爲六十二年特種考試中醫師考試典試委員。

　　六月十二日，總統蔣中正先生特派爲六十二年特種考試中央銀行行員考試典試委員長。

　　七月，指導政治大學中文研究所研究生龔顯宗撰寫〈謝茂秦詩論研究〉，該生經口試通過，獲文學碩士學位。同時，又指導該所研究生王紘紋（拓）撰〈袁枚詩論研究〉，亦經口試通過，獲文學碩士學位。

　　七月，中華學術院院長張其昀聘爲該院詩學研究所研究委員（自六十二年七月一日起至六十四年六月三十日止）。

　　七月，國立師範大學校長張宗良聘爲該大學文學院國文研究所教授（自六十二年八月一日起至六十三年七月三十一日止）。

　　七月二十日，國立政治大學校長劉季洪聘爲該大學中國文學研究所兼任教授講授駢文研究課程（自六十二年八月起至六十三年七月底止）。

　　七月二十三日，總統蔣中正先生派任爲六十二年特種考試建教合作電信財稅及人事行政人員考試暨六十二年交通事業電信人員升資考試典試委員。

　　八月四日，總統蔣中正先生派任爲六十二年交通事業郵政人員升資考試及交通事業水運人員升資考試典試委員。

　　八月十六日，總統蔣中正先生派任爲六十二年公務人員高等考試典試委員。

　　八月二十六日，總統蔣中正先生派任爲六十二年特種考試第二次臺灣省經濟建設人員考試及地方行政人員考試典試委員。

　　八月三十一日，總統蔣中正先生派任爲六十二年特種考試退

除役軍人轉任公務人員考試典試委員。

　　九月七日，總統蔣中正先生派任爲六十二年特種考試第二次警察人員考試典試委員。

　　九月十三日，考試院長孫科病逝。撰聯一副輓之。聯曰：「當蟾兔明滅間，哀音驟至，記七年掌院，歎今夕騎箕，正中秋之後二日；於夔龍勳業外，清望尤高，洞百國寶書，操連番玉尺，是北斗以南一人。」

　　十月，第二屆世界詩人大會籌備委員會聘爲該大會顧問。

　　十月十五日，總統蔣中正先生派任爲六十二年特種考試第二次關務暨稅務人員考試典試委員。

　　十月二十八日，總統蔣中正先生派任爲六十二年特種考試司法人員考試典試委員。

　　十一月七日，總統蔣中正先生派任爲六十二年特種考試外交領事人員考試典試委員。

　　十一月二十三日，總統蔣中正先生派任爲六十二年特種考試第三次河海航人員考試典試委員。

　　十二月三日，總統蔣中正先生派任爲六十二年特種考試國軍退除役醫事人員職業資格考試典試委員。

中華民國六十三年　　　甲寅（西元1974）　　　先生六十五歲

　　二月十六日，總統蔣中正先生派任爲六十三年特種考試臺灣省山地行政及經濟建設人員考試典試委員。

　　二月二十四日，總統蔣中正先生派任爲六十三年特種考試關務暨稅務人員考試典試委員。

　　三月，六十三年檢定考試委員會主任委員鐘皎光聘爲六十三

年檢定考試委員會委員。

三月七日，考試院院會通過高普考試改進辦法。

三月二十九日，總統蔣中正先生派任為六十三年特種考試第一次河海航行人員考試、六十三年特種考試第一次引水人考試、六十三年特種考試驗船師考試暨六十三年特種考試漁船船員考試典試委員。

四月一日，總統蔣中正先生特派為六十三年臺灣省政府暨所屬各機關學校公務人員升等考試典試委員長。

四月五日，總統蔣中正先生派任為六十三年特種考試金融事業人員考試典試委員。

五月二十三日，總統蔣中正先生派任為六十三年特種考試國防部情報局情報人員考試典試委員。

六月十三日，總統蔣中正先生派任為六十三年特種考試交通事業鐵路人員考試典試委員。

六月二十四日，總統蔣中正先生派任為六十三年特種考試警察人員考試典試委員。

七月，指導臺灣師範大學國文研究所研究生楊申吉撰寫〈黎洲學術思想概觀〉論文，該生經口試通過，獲文學碩士學位。論文刊入該所集刊第十九號。同時，又指導該所研究生徐信義撰寫〈張炎詞源探究〉論文，亦經口試通過，獲文學碩士學位。論文亦刊入該所集刊第十九號。此外，亦分別指導政治大學中文研究所研究生林嵩山撰寫〈大小謝詩研究〉、李豐楙撰寫〈翁方綱及其詩論〉，兩生皆經口試通過，獲文學碩士學位。

七月中旬。同考試院楊院長亮功、劉副院長季洪等同人，前往臺灣省府，南投縣府、員林鎮公所、鹿谷鄉公所，視察考銓業

務。事竣，並轉赴溪頭，小憩臺灣大學實驗臨場，舍中成〈觀風偶紀〉七言絕句六章。分詠溪頭林場、大學池、彰化大佛諸景。

七月二十九日，總統蔣中正先生派任爲六十三年特種考試第二次河海航行人員考試典試委員。

八月，國立臺灣師範大學校長張宗良聘爲該大學文學院國文研究所教授（自六十三年八月一日起至六十四年七月三十一日止）。

八月二日，總統蔣中正先生派任爲六十三年特種考試臺灣省基層公務人員考試典試委員。

八月七日，國立政治大學校長李元簇聘爲該大學中國文學研究所兼任教授講授詩學研究課程（自六十二年八月起至六十三年七月底止）。

八月九日，總統蔣中正先生派任爲六十三年特種考試建教合作電信及財稅行政人員考試典試委員。

八月十八日，總統蔣中正先生派任爲六十三年公務人員高等考試典試委員。

八月十九日，總統蔣中正先生派任爲六十三年特種考試第二次關務暨稅務人員考試典試委員。

九月二十七日，總統蔣中正先生派任爲六十三年特種考試交通事業電信人員考試典試委員。

十月二十七日，總統蔣中正先生派任爲六十三年特種考試司法人員考試典試委員。

十一月一日，總統蔣中正先生派任爲六十三年公馬地區公務人員升等考試及現職公務人員銓定資格考試典試委員。

十一月六日，總統蔣中正先生派任爲六十三年特種考試軍法人員考試典試委員。

十一月十日，于右老逝世十週年，先生特填【清波引】一闋以抒哀感。

十一月二十四日，總統蔣中正先生派任爲六十三年特種考試外交領事人員考試典試委員。

十一月二十七日，總統蔣中正先生派任爲六十三年特種考試第三次河海航行人員考試暨特種考試第二次引水人考試典試委員。

十二月五日，應聘爲教育部博士學位候選人黃光亮博士學位評定會委員。

十二月二十七日，總統蔣中正先生派任爲六十三年特種考試國軍退除役醫事人員職業資格考試典試委員。

中華民國六十四年　　　乙卯（西元1975）　　　先生六十六歲

一月二十日，總統蔣中正先生特派爲六十四年特種考試退徐役軍人轉任公務人員考試典試委員長。

二月三日，總統蔣中正先生派任爲六十四年特種考試國防部行政及技術人員考試典試委員。

三月三日，總統蔣中正先生派任爲六十四年特種考試第一次河海航行人員考試暨特種考試第一次引水人考試典試委員。

三月五日，財政部財稅人員訓練所所長張則堯聘爲該所講師（自致奉之日起、至六十四年十二月三十一日止）。

三月六日，六十四年檢定考試委員會主任委員鐘皎光敦聘爲六十四年檢定考試委員會委員。

四月，中華學術院院長張其昀聘爲該院中華詩學月刊社副社長（自六十四年五月一日起至六十六年四月三十日止）。

四月五日，蔣總統因突發性心臟病於下午十一時五十分崩逝。

於是先生賦挽詩五言律詩三首以誌哀。後奉命代嚴總統暨治喪大會撰〈公祭總統蔣公文〉，今文收《楚望樓駢體文》續編頁24-25。

五月三日，總統嚴家淦先生派任為六十四年特種考試司法行政部調查局調查人員考試典試委員。

六月，受東海大學聘，為該校中文研究所梁明雄〈王安石詩研究〉碩士論文口試委員。

六月六日，總統嚴家淦先生派任為六十四年交通事業鐵路人員升資考試典試委員。

六月十六日，總統嚴家淦先生派任為六十四年特種考試社會工作人員考試典試委員。

六月十八日，總統嚴家淦先生派任為六十四年特種考試中醫師考試典試委員。

六月二十三日，總統嚴家淦先生派任為六十四年特種考試警察人員考試典試委員。

六月二十七日，總統嚴家淦先生派任為六十四年特種考試第二次河海航行人員考試特種考試驗船師考試暨特種考試漁船船員考試典試委員。

七月，國立政治大學校長李元簇聘為該大學中國文學研究所兼任教授講授駢文研究課程（自六十四年八月起至六十五年七月底止）。

七月，國立臺灣師範大學校長張宗良聘為該大學文學院國文研究所兼任教授講授論文指導課程（自六十四年八月一日起至六十五年七月三十一日止）。

七月四日，總統嚴家淦先生派任為六十四年特種考試臺灣省

地政人員考試典試委員。

七月九日，總統嚴家淦先生派任為六十四年特種考試臺灣省山地行政及經濟建設人員考試典試委員。

七月二十一日，總統嚴家淦先生任命為六十四年中央各機關公務人員升等考試典試委員。

八月一日，總統嚴家淦先生派任為六十四年特種考試臺灣省基層公務人員考試典試委員。

八月十八日，總統嚴家淦先生派任為六十四年公務人員高等考試典試委員。

九月八日，總統嚴家淦先生派任為六十四年特種考試國軍退除役醫事人員職業資格考試典試委員。

九月十九日，總統嚴家淦先生派任為六十四年特種考試關務暨稅務人員考試典試委員。

十月，中華學術院院長張其昀聘為該院詩學研究所研究委員（自六十四年十月一日起至六十六年九月三十日止）。

十月十日，躬預國慶閱兵大典，成〈大閱〉七言律詩一首。及〈大閱小紀〉駢文一篇。

十月二十四日，總統嚴家淦先生派任為六十四年特種考試交通事業公路港務人員考試典試委員。

十一月上旬，游阿里山，成〈阿里山詩紀〉七言絕句四章，及〈祝山觀日出〉五言律詩一首。

十一月十九日，總統嚴家淦先生派任為六十四年特種考試第三次河海航行人員考試暨特種考試第二次引水人考試典試委員。

十二月一日，總統嚴家淦先生派任為六十四年特種考試外交領事人員及外交行政人員考試典試委員。

十二月二十六日，總統嚴家淦先生派任爲六十四年特種考試交通事業鐵路人員考試典試委員。

中華民國六十五年　　　丙辰（西元1976）　　　先生六十七歲

二月十六日，總統嚴家淦先生派任爲六十五年特種考試退除役軍人轉任衛生技術人員考試典試委員。

春，先生受託撰〈柳劍霞先生七秩壽序〉，文見《楚望樓駢體文》續編頁256-259。

春，爲三軍大學師生官兵等撰〈總統蔣公銅像紀〉，今文收《楚望樓駢體文》續編頁29-30。

三月，參與考試院中南部考察團，成〈南行詩紀〉七言絕句四首，分詠延平郡王祠、日月潭、玄奘寺等景。

三月，六十五年檢定考試委員會主任委員鐘皎光敦聘爲六十五年檢定考試委員會委員。

三月三日，總統嚴家淦先生派任爲六十五年特種考試第一次河海航行人員考試典試委員。

三月九日，總統嚴家淦先生派任爲六十五年特種考試司法人員考試典試委員。

三月十日，總統嚴家淦先生特派爲六十五年交通事業電信暨水運人員升資考試典試委員長。

某月，爲陳澤湉大使題馬拉加西國齊拉納總統藍冊。今文收《楚望樓駢體文》續編頁275。

四月三日，財政部財稅人員訓練所所長張則堯聘爲該所講師（自致奉之日起、至六十五年十二月三十一日止）。

四月二十三日，總統嚴家淦先生派任爲六十五年臺灣省政府

暨所屬各機關學校公務人員升等考試典試委員。

四月三十日，總統嚴家淦先生派任為六十五年特種考試臺灣省山地行政及經濟建設人員考試典試委員。

五月二十六日，總統嚴家淦先生派任為六十五年特種考試驗船師考試、第一次引水人考試暨漁船船員考試典試委員。

六月十日，中醫師考試檢定考試委員會主任委員鍾皎光聘為六十五年中醫師考試檢定考試委員。

六月二十五日，總統嚴家淦先生派任為六十五年特種考試關務暨稅務人員考試典試委員。

七月，國立臺灣師範大學校長張宗良聘為該大學文學院國文研究所研究生論文指導教授（自六十五年八月一日起至六十六年七月三十一日止）。

七月七日，總統嚴家淦先生派任為六十五年分類職位公務人員第七職等教育行政職考試典試委員。

七月二十六日，總統嚴家淦先生派任為六十五年特種考試第二次河海航行人員考試典試委員。

八月二日，總統嚴家淦先生派任為六十五年特種考試警察人員考試典試委員。

中元節，撰〈告皇考皇妣文〉，今文收《楚望樓駢體文》續編頁315-317。

八月七日，國立政治大學校長李元簇聘為該大學中國文學研究所兼任教授講授詩學研究課程（自六十五年八月起至六十六年七月底止）。

八月二十七日，總統嚴家淦先生派任為六十五年公務人員高等考試典試委員。

十月一日，總統嚴家淦先生派任為六十五年金馬地區現職公務人員銓定資格考試及金馬地區公務人員升等考試典試委員。

十月十二日，總統嚴家淦先生特派為六十五年特種考試交通事業鐵路人員考試典試委員長。

十月三十一日，先總統　蔣公中正九十冥誕，先生特撰：「四明為萬山所宗，龍馭難回，薄海謳歌懷上德；十月正一陽來復，鴻鈞待轉，在天靈爽護中華。」長聯一副以紀念之。

十一月八日，總統嚴家淦先生派任為六十五年特種考試軍法人員考試典試委員。

十一月二十四日，總統嚴家淦先生派任為六十五年特種考試第二次河海航行人員考試暨特種考試第二次引水人考試典試委員。

十一月杪，參加自強活動，遊南臺灣，成〈高屏吟紀〉七言絕句四章，分詠高雄港、墾丁公園、鵝鑾鼻諸景。

十二月六日，總統嚴家淦先生派任為六十五年特種考試外交領事暨外交行政人員考試典試委員。

十二月二十四日，總統嚴家淦先生派任為六十五年特種考試臺灣省基層公務人員考試典試委員。

中華民國六十六年　　　丁巳（西元1977）　　　先生六十八歲

一月二十八日，總統嚴家淦先生派任為六十六年特種考試國防部行政及技術人員考試典試委員。

二月九日，總統嚴家淦先生派任為六十六年特種考試退除役軍人轉任公務人員考試典試委員。

二月二十八日，總統嚴家淦先生派任為六十六年特種考試第一次河海航行人員考試典試委員。

三月，六十六年檢定考試委員會主任委員鍾皎光敦聘爲六十六年檢定考試委員會委員。

三月十一日，總統嚴家淦先生派任爲六十六年特種考試關務暨稅務人員考試典試委員。

四月一日，總統嚴家淦先生派任爲六十六年特種考試司法行政部調查局調查人員考試典試委員。

四月四日，先總統蔣公紀念日前夕，先生賦七言律詩一首以誌感。

五月二十五日，總統嚴家淦先生派任爲六十六年特種考試中醫師考試典試委員。

六月，應聘爲臺灣師範大學國文研究所研究生曾昭旭〈王船山及其學術〉博士論文考試口試委員。另又爲該所陳惠豐〈葉燮詩論研究〉、陳文華〈杜甫詩律探微〉、張簡坤明〈袁爽秋研究〉、龍思明〈王漁洋神韻說之研究〉碩士論文考試口試委員。

六月，應聘爲政治大學中文研究所研究生宋昌基〈中國古代女性倫理觀—以先秦兩漢爲中心〉博士論文口試委員。另又爲該所劉遠智〈陳子昂及其感遇詩之研究〉碩士論文考試委員。

六月二十四日，總統嚴家淦先生派任爲六十六年特種考試金融事業人員考試典試委員。

六月三十日，總統嚴家淦先生派任爲六十六年特種考試第二次河海航行人員引人驗船師暨漁船船員考試典試委員。

七月，中華學術院院長張其昀敦聘爲該院詩學研究所副所長（自六十六年七月一日起至六十八年六月三十日）。

七月，國立臺灣師範大學校長張宗良聘爲該大學文學院國文研究所研究生論文指導教授（自六十六年八月一日起至六十七年

七月三十一日止）。

　　七月，國立政治大學校長歐陽勛聘爲該大學中國文學研究所兼任教授講授詩學研究課程（自六十六年八月起至六十七年七月底止）。

　　七月六日，總統嚴家淦先生派任爲六十六年特種考試警察人員考試典試委員。

　　七月七日，中共空軍獨二團中隊長范園炎，駕米格十九型飛機起義來歸，安全降落在臺南機場，舉國上下皆十分興奮，於是賦七言律詩一首。

　　七月三十一日（夏曆六月十六日）強烈颱風薇拉襲北臺，賦七言律詩一首。八月，受託撰〈彭孟緝上將七秩壽序〉，今文收《楚望樓駢體文》續編頁278。

　　八月五日，總統嚴家淦先生派任爲六十六年六通事業公路港務人員升資考試典試委員。

　　八月二十二日，總統嚴家淦先生派任爲六十六年公務人員高等考試典試委員。

　　九月十六日，總統嚴家淦先生派任爲六十六年特種考試中央銀行行員考試典試委員。

　　九月二十二日午夜，猛雨移時，溪河交漲，木柵及溝子口一帶，濁流橫溢，深者及簷，因賦〈大水〉五言律一首。

　　十月三日，總統嚴家淦先生派任爲六十六年中央各機關公務人員升等考試典試委員。

　　十月十七日，總統嚴家淦先生派任爲六十六年特種考試第三次河海航行人員考試典試委員。

　　十月二十六日，總統嚴家淦先生派任爲六十六年特種考試經

濟部駐外經濟商務人員考試典試委員。

十月二十八日，總統嚴家淦先生派任為六十六年特種考試司法人員考試典試委員。

十月二十八日，國立政治大學教授盧元駿病逝。先生撰〈悼盧聲伯教授〉文，及「宮牆攦笛，得吳霜厓、盧飲虹一脈之傳，從者數千人，雅調能賡楊柳岸；詩會停杯，繼彭素庵、姚味筍諸公而逝，傷哉重九節，清吟不共菊花天。」長聯以致哀。

十一月十日，總統嚴家淦先生特派為六十六年臺北市政府暨所屬各機關學校公務人員升等考試典試委員長。

十一月十六日，總統嚴家淦先生派任為六十六年特種考試外交領事暨外交行政人員考試典試委員。

十二月九日，總統嚴家淦先生派任為六十六年特種考試臺灣省基層公務人員考試典試委員。

臺灣基層特考，負責宜蘭考區，縣長李鳳鳴餽以冬山茶，孟健君偕訪前縣長陳進東，嗣登五峰旗瀑布，並至復興工專作「禮與生活教育」專題演講。成〈蘭陽雜詩〉七言絕句四章。

中華民國六十七年　　　戊午（西元1968）　　　先生六十九歲

二月一日，出席全國人事會報。在考試院舉行。

三月，六十七年檢定考試委員會主任委員鐘皎光敦聘為六十七年檢定考試委員會委員。

三月三日，總統嚴家淦先生派任為六十七年特種考試第一次河海航行人員及引水人考試典試委員。

三月七日，總統嚴家淦先生派任為六十七年特種考試交通事業水運人員考試典試委員。

三月十三日，總統嚴家淦先生派任為六十七年特種考試交通事業鐵路人員考試典試委員。

四月十二日，總統嚴家淦先生派任為六十七年特種考試國際新聞人員考試典試委員。

五月，代中華學術院詩學研究所撰〈蔣經國先生當選第六任總統頌辭〉，今文收《楚望樓駢體文》續編頁9。

五月十五日，總統嚴家淦先生派任為六十七年特種考試關務及稅務人員考試典試委員。

五月二十日，蔣經國、謝東閔宣誓就第六任正、副總統職。先生撰五言古詩四十韻〈民主篇〉一首。又代中華學術院詩學研究所撰〈蔣經國先生當選第六任總統頌辭〉，詳見《楚望樓駢體文》續編頁9。

五月二十九日，中醫師考試檢定考試委員會主任委員鍾義均聘為六十七年中醫師考試檢定考試委員。

六月，指導臺灣師範大學國文研究所研究生簡添興撰寫〈韓愈之思想及其文論〉，該生經口試通過，獲文學碩士學位。另又應聘為該所研究生郭鶴鳴〈王船山詩論探微〉、政治大學研究生顧健民〈孟子趙注與朱注之比較研究〉、王春謀〈朱熹詩集傳淫詩說之研究〉碩士論文考試口試委員。

六月，與林景伊共同主持臺灣師範大學國文研究所張仁青〈魏晉南北朝文學思想述論〉博士論文考試。

六月二十日，總統蔣經國先生特派為六十七年特種考試第二次河海航行人員考試典試委員。

七月，應聘為政治大學中文研究所李豐楙〈魏晉六朝文士與道關係之研究〉博士論文考試口試委員。

　　七月，國立政治大學校長歐陽勛聘爲該大學中國文學研究所兼任教授講授詩學研究課程（自六十七年八月起至六十八年七月底止）。

　　七月十五日，總統蔣經國先生派任爲六十七年特種考試交通事業電信人員考試典試委員。

　　八月十一日，監察院進行審查考試院正副院長劉季洪、張宗良及考試委員成惕軒等人選資格。

　　八月十四日，總統蔣經國先生派任爲六十七年公務人員高等考試典試委員。

　　八月十五日，總統蔣經國先生特任爲第六屆考試院考試委員。

　　十月十日晌午，躬與國慶閱兵大典，喜賦七言律詩一首。

　　十月十九日，總統蔣經國先生派任爲六十七年特種考試外交領事人員暨外交行政人員及第二次國際新聞人員考試典試委員。

　　十一月三日，總統蔣經國先生派任爲六十七年交通事業鐵路人員升資考試暨現職人員資位檢覈考試典試委員。

　　十一月十四日，總統蔣經國先生特派爲六十七年特種考試中醫師考試典試委員長。

　　十一月十八日，總統蔣經國先生派任爲六十七年特種考試司法人員考試典試委員。

　　十一月二十三日，總統蔣經國先生派任爲六十七年特種考試第三次河海航行人員考試、驗船師考試及第二次船舶電信人員考試典試委員。

　　十二月一日，總統蔣經國先生派任爲六十七年特種考試臺灣省基層公務人員考試典試委員。

　　十二月十六日，感事，賦七言律詩一首爲紀。

十二月十八日，總統蔣經國先生派任為六十七年交通事業港務人員升資考試典試委員。

中華民國六十八年　　　己未（西元1979）　　　先生七十歲

一月九日，總統蔣經國先生派任為六十八年特種考試退除役軍人轉任公務人員考試典試委員。

一月十五日，總統蔣經國先生派任為六十八年特種考試軍法人員考試典試委員。

一月二十七日，總統蔣經國先生派任為六十八年交通事業郵政人員升資考試典試委員。

二月一日，總統蔣經國先生派任為六十八年特種考試國防部行政及技術人員考試典試委員。

二月九日，總統蔣經國先生派任為六十八年特種考試第一次河海航行人員考試引水人考試第一次漁船船員考試及第一次船舶電信人員考試典試委員。

二月十五日，響應自強愛國捐獻運動，捐贈書法作品一幅，參與臺北市地區文藝作家書畫義賣。

二月十六日，中央研究院院士屈萬里逝世，先生以長聯輓之，聯曰：「浮海望齊煙，定知故宇縈懷，曲阜春風鍾阜月；傳經昌漢學，更有高文華國，靈均騷賦大均詩。」

三月五日，中華詩學研究所創立十一週年，所長張維翰先生邀約碧潭禊集。

三月九日，六十八年檢定考試委員會主任委員唐振楚聘為六十八年檢定考試委員會委員。

三月三十日，總統蔣經國先生派任為六十八年特種考試關務

暨稅務人員考試典試委員。

五月十一日，中醫師考試檢定考試委員會主任委員鍾義均聘為六十八年中醫師考試檢定考試委員。

五月十四日，總統蔣經國先生派任為六十八年特種考試司法行政部調查局調查人員考試典試委員。

首夏，同考試院劉院長季洪、張副院長等同仁，訪問臺灣省政府，並參觀臺中港、日月潭，因賦〈中台紀事〉七言絕句四章。

六月，指導政治大學中文研究所研究生吳鳳梅撰寫〈王昌齡詩格之研究〉，該生經口試通過，獲文學碩士學位。

六月，應聘為政治大學中文研究所研究生臧汀生〈臺灣民間歌謠研究〉、洪澤南〈上古散佚歌謠研究〉、王文顏〈臺灣詩社之研究〉碩士論文考試口試委員。另又應聘為中國文化大學中文研究所研究生龔顯宗〈明七子詩文及其論評之研究〉博士論文考試口試委員。

六月八日，總統蔣經國先生派任為六十八年特種考試第二次河海航行人員考試、驗船師考試、第二次漁船船員考試及第二次船舶電信人員考試典試委員。

六月十三日，總統蔣經國先生派任為六十八年特種考試社會工作人員考試典試委員。

六月十八日，總統蔣經國先生派任為六十八年臺北市政府暨所屬各機關分類職位公務人員升等考試典試委員。

六月二十日，總統蔣經國先生派任為六十八年特種考試警察人員考試典試委員。

七月，撰〈劉先雲七十雙慶暨金婚紀念〉，今原稿墨跡收入《成惕軒先生紀念集》頁155。

　　七月十一日，總統蔣經國先生派任爲六十八年臺灣省政府暨所屬各機關分類職位公務人員升等考試典試委員。

　　七月十三日，總統蔣經國先生派任爲六十八年交通事業電信及水運人員升資考試典試委員。

　　八月六日，總統蔣經國先生派任爲六十八年交通事業郵政人員第二次升資考試典試委員。

　　八月十日，總統蔣經國先生特派爲六十八年特種考試金融事業人員考試典試委員。

　　八月十四日，總統蔣經國先生派任爲六十八年公務人員高等考試典試委員。

　　八月二十二日，王資政雲五病逝，先生撰長聯輓之：「槃才爲粵秀所鍾，有猷有守，無黨無偏，謀國矢公忠，曾預嚴廊三獨坐；耆齒與伏生相埒，既博既文，亦玄亦史，等身饒述作，堪稱曠代一奇人。」

　　十月一日，總統蔣經國先生派任爲六十八年特種考試中央銀行行員考試典試委員。

　　十月十二日，總統蔣經國先生派任爲六十八年特種考試第三次河海航行人員考試、第三次漁船船員考試及第三次船舶電信人員考試典試委員。

　　十月二十七日（重九前三日）感事，做七言律一首。

　　十一月一日，總統蔣經國先生派任爲六十八年特種考試行政院所屬機關駐國外工作人員考試典試委員。

　　十一月四日，基隆市詩學研究會理事長邱天來聘爲該會詩學指導老師。

　　十一月十九日，總統蔣經國先生派任爲六十八年特種考試司

法人員考試典試委員。

　　十一月二十一日，總統蔣經國先生派任爲六十八年中央各機關公務人員及分類職位公務人員升等考試典試委員。

　　十一月三十日，總統蔣經國先生派任爲六十八年特種考試交通事業鐵路人員考試典試委員。

　　十二月，中華民國傳統詩學會理事長林錫牙聘爲該會顧問。

　　十二月十五日，總統蔣經國先生派任爲六十八年特種考試臺灣省基公務人員考試典試委員。

　　十二月二十一日，總統蔣經國先生派任爲六十八年特種考試中醫師考試典試委員。

中華民國六十九年　　　庚申（西元1980）　　　先生七十一歲

　　一月二十八日，總統蔣經國先生派任爲六十九年特種考試司法行政部調查局調查人員考試典試委員。

　　人日，搭乘臺灣北迴鐵路往遊花蓮，車中賦七言律一首。另又有〈遊秀姑巒溪〉七絕一首、〈鯉魚潭泛舟〉五言律一首。

　　宋楚瑜索字，書五言長古一首以贈之，詳見《楚望樓詩》頁384。詩云：「維君湘楚英，風儀美且好。觥觥廊廟器，致身一何早。曾聞宋廣平，賦梅寄襟抱。君其張舊勳，志期振凋槁。子遺念沉陸，禹域看再造。泮林徙惡梟，九畹樹香草。先正昔有言，唯善以爲寶。」

　　二月二日，總統蔣經國先生派任爲六十九年特種考試第一次河海航行人員考試、第一次漁船船員考試及第一次船舶電信人員考試典試委員。

　　二月二十九日，總統蔣經國先生派任爲六十九年特種考試關

務暨稅務人員考試典試委員。

　　三月六日，考選部部長唐振楚聘為六十九年行政院暨所屬各機關分類職位公務人員第二職等考試主試委員。

　　三月十二日，六十九年檢定考試委員會主任委員唐振楚聘為六十九年檢定考試委員會委員。

　　五月十九日，總統蔣經國先生特派為六十九年特種考試經濟部駐外經濟商務人員考試典試委員長。

　　五月二十四日，中醫師考試檢定考試委員會主任委員鍾義均聘為六十九年中醫師考試檢定考試委員。六月，指導臺灣師範大學國文研究所研究生崔成宗撰寫〈韋蘇州及其詩之研究〉，該生經口試通過，獲文學碩士學位。

　　六月，應聘為政治大學中文研究所研究生黃忠慎〈尚書洪範研究〉碩士論文考試口試委員。

　　六月一日，總統蔣經國先生派任為六十九年特種考試警察人員考試典試委員。

　　六月六日，總統蔣經國先生派任為六十九年特種考試第二次河海航行人員考試、驗船師考試、第二次漁船船員考試及第二次船舶電信人員考試典試委員。

　　六月十五日，政治作戰學校校長孟憲庭聘為該校六十八年度政治研究所碩士學位考試委員會委員。

　　七月，國立政治大學校長歐陽勛聘為該大學中國文學研究所兼任教授講授詩學研究課程（自六十九年八月起至七十年七月底止）。

　　七月十八日，總統蔣經國先生派任為六十九年臺灣省政府暨所屬各機關公務人員及分類職位公務人員升等考試典試委員。

八月十三日，總統蔣經國先生派任為六十九年公務人員高等考試典試委員。

八月十四日，六十九年公務人員高等考試典試委員會典試委員長張宗良聘為六十九年高等暨普通考試襄試委員資格審查小組委員。

八月二十一日，總統蔣經國先生派任為六十九年特種考試交通事業電信人員考試典試委員。

九月一日，張蒓漚先生逝世為書張蒓漚先生暨德配夫人墓表及撰張蒓漚先生墓誌銘，詳見張先生紀念集。其輓聯為：「政治布在方策，都御史勳華百代；文學何須董筆，大詩人慧業千秋。」

九月十八日，總統蔣經國先生派任為六十九年特種考試外交領事人員暨國際新聞人員考試典試委員。

九月二十八日，彰化縣詩學研究學會理事長鄭福圳聘為該會舉辦庚申年全國詩人聯吟大會首席名譽顧問。

十月一日，宜蘭縣孔孟學會會長陳進東聘為該會舉辦慶祝宜蘭縣建縣三十週年全國詩人聯吟大會委員。

十月九日，總統蔣經國先生派任為六十九年特種考試司法人員考試典試委員。

十月十七日，總統蔣經國先生派任為六十九年特種考試第三次河海航行人員考試引水人考試第三次漁船船員考試及第三次船舶電信人員考試典試委員。

十月十七日，總統蔣經國先生派任為六十九年交通部民用航空局臺北航空貨運站現職人員銓定資位考試典試委員。

十月二十四日，總統蔣經國先生派任為六十九年特種考試國防部情報局人員考試典試委員。

　　十月三十日，總統蔣經國先生派任爲六十九年特種考試臺灣省基層公務人員考試典試委員。

　　十一月，受託撰〈黃達雲上將八秩壽頌並序〉，今文收《楚望樓駢體文》續編頁281-282。

　　十一月十四日，總統蔣經國先生派任爲六十九年交通事業公路人員升資考試典試委員。

　　十一月二十一日，總統蔣經國先生派任爲六十九年特種考試中醫師考試典試委員。

　　十二月十三日，總統蔣經國先生派任爲六十九年特種考試關務、稅務、金融、保險人員考試典試委員。

中華民國七十年　　　辛酉（西元1981）　　　先生七十二歲

　　元月，先生弟子多人會議籌印《成惕軒先生七秩大慶論文集》。先生謙辭致函籌印介壽專輯諸君，以所纂專輯移作太夫人百歲誕辰紀念。

　　元月，應聘爲政治大學中文研究所研究生鍾慧玲〈清代女詩人研究〉博士論文考試口試委員。

　　元月，爲〈徐谷庵先生畫展啓〉，原稿墨跡見《成惕軒先生紀念集》頁184。

　　一月十四日，總統蔣經國先生派任爲七十年特種考試國防部行政及技術人員考試暨軍法人員考試典試委員。

　　一月二十一日，總統蔣經國先生派任爲七十年特種考試退除役軍人轉任公務人員考試典試委員。

　　二月二日，總統蔣經國先生派任爲七十年特種考試法務部調查局調查人員考試典試委員。

二月九日，總統蔣經國先生派任爲七十年特種考試交通事業鐵路人員考試典試委員。

二月二十日，總統蔣經國先生派任爲七十年特種考試第一次河海航行人員考試、第一次漁船船員考試及第一次船舶電信人員考試典試委員。

春，代國立政治大學同學會撰〈蔣總統經國先生生日賀辭〉，今文收《楚望樓駢體文》續編頁12。

三月，七十年檢定考試委員會主任委員唐振楚聘爲七十年檢定考試委員會委員。

三月二十日，總統蔣經國先生派任爲七十年臺北市政府暨所屬各機關公務人員及分類職位公務人員升等考試典試委員。

四月，爲李猷《紅並樓詩》撰序，文收《楚望樓駢體文》續編頁69-70。

四月，美人於佛州發射太空梭，成〈太空梭〉七言長古一首。端午節後一日，親書此〈太空梭〉七言長古，原稿墨跡見《成惕軒先生紀念集》頁185。

四月十三日，總統蔣經國先生派任爲七十年特種考試中央銀行行員考試典試委員。

四月二十七日，中醫師考試檢定考試委員會主任委員鍾義均聘爲七十年中醫師考試檢定考試委員。

五月十八日，總統蔣經國先生派任爲七十年中央各機關公務人員及分類職位公務人員升等考試典試委員。

六月，七十年特種考試公務人員甲等考試典試委員會典試委員長劉季洪聘爲七十年特種考試甲等考試應考人著作審查委員。

六月，應聘爲政大中文所研究生高美華〈楊升庵夫婦散曲研

究〉、孔仲溫〈韻鏡研究〉碩士論文考試口試委員。另又爲中國文化大學研究生雷僑雲〈敦煌兒童文學研究〉碩士論文考試口試委員。

六月十二日，總統蔣經國先生派任爲七十年特種考試交通事業公路人員考試典試委員。

六月二十日，總統蔣經國先生派任爲七十年特種考試警察人員考試典試委員。

七月，國立政治大學校長歐陽勛聘爲該大學中國文學研究所兼任教授講授駢文研究課程（自七十年八月起至七十一年七月底止）。

七月十五日，總統蔣經國先生派任爲七十年特種考試第二次河海航行人員考試、引水人考試、第二次漁船船員考試、第二次船舶電信人員考試典試委員。

七月十九日，典試闈中，夜間，溝子口大水，成五言律詩一首。

七月三十一日，總統蔣經國先生派任爲七十年臺灣地區省（市）營事業機構分類職位人員升等考試典試委員。

八月一日，世界佛教僧伽會第三屆籌備委員會主任委員白聖聘爲該會護法委員。

八月十四日，七十年特種考試公務人員甲等考試典試委員會典試委員長劉季洪聘爲七十年特種考試公務人員甲等考試口試委員。

八月十日，當選中華民國易經學會理事長。

八月十七日，總統蔣經國先生派任爲七十年公務人員高等考試典試委員。

八月十八日，七十年高等考試典試委員會典試委員長張宗良聘爲七十年高等暨普通考試襄試委員資格審查小組委員。

十月二日，總統蔣經國先生派任爲七十年特種考試外交領事人員暨國際新聞人員考試典試委員。

十月四日，爲湖北旅臺同鄉會撰〈雷法章先生八秩壽頌〉，原稿墨跡今收入《成惕軒先生紀念集》頁155-159。

十月二十一日，總統蔣經國先生派任爲七十年特種考試司法人員考試典試委員。

十月二十八日，參加埔里鎮殘障愛心基金書畫展暨義賣活動贈書畫墨寶義賣。

十月二十八日，聘爲中華易經學會第二屆理事會永久基金籌募委員會主任委員。

十一月十三日，總統蔣經國先生派任爲七十年特種考試臺灣省基層公務人員考試典試委員。

十一月二十日，總統蔣經國先生派任爲七十年特種考試第三次河海航行人員考試、驗船師考試、第三次漁船船員考試、第三次船舶電信人員考試典試委員。

十二月九日，總統蔣經國先生派任爲七十年交通事業港務公務人員升資考試典試委員。

十二月十二日，受邀參加慶祝中華民國建國七十年全國第三次文藝會談。

十二月十四日，臺北市湖北同鄉會理事長雷法章聘爲該會名譽理事。

十二月二十四日，總統蔣經國先生派任爲七十年特種考試中醫師考試典試委員。

　　十二月二十五日，復興國學院院長李辰冬聘爲該院教授（自
七十一年三月一日起至七十二年二月二十八日止）。

中華民國七十一年　　　壬戌（西元1982）　　　先生七十三歲

　　一月十四日，總統蔣經國先生派任爲七十一年特種考試關務、
稅務、金融人員考試典試委員。

　　二月五日，總統蔣經國先生派任爲七十一年特種考試第一次
河海航行人員考試及第一次船舶電信人員考試典試委員。

　　二月十二日，總統蔣經國先生派任爲七十一年特種考試法務
部調查局調查人員考試典試委員長。

　　三月，七十一年檢定考試委員會主任委員唐振楚聘爲七十一
年檢定考試委員會委員。

　　四月五日，先生赴中正紀念堂躬預中樞所舉行之先總統　蔣
公逝世二十七週年紀念大典。

　　教育部長朱匯森索詩，先生賦七律一首以報。詩曰：「雍均
遺制廓瀛濤，遠紹前英契道心。九畹滋蘭先去莠，十年樹木漸成
蔭。城中科技覘新效，海澨絃歌續正音。記取來朝起況陸，要千
東箭萬南金。」

　　四月七日，總統蔣經國先生派任爲七十一年交通事業電信、
水運人員升資考試典試委員。

　　五月四日，中醫師考試檢定考試委員會主任委員鍾義均聘爲
七十一年中醫師考試檢定考試委員。

　　五月二十五日，國際詩人聯吟大會籌備委員會主任委員許志
呈聘爲該大會顧問。

　　六月二十三日，總統蔣經國先生派任爲七十一年特種考試警

察人員考試典試委員。

六月二十五日，參加第五屆民俗才藝活動全國名家書畫邀請展，將參展作品贈大會義賣。

七月，國立政治大學校長歐陽勛聘爲該大學中國文學研究所兼任教授講授詩學研究課程（自七十一年八月起至七十二年七月底止）。

七月一日，爲江絜生《瀛邊片羽》撰序，文收《楚望樓駢體文》續編頁153-154。

七月，與高明共同指導國立政治大學中文研究所博士研究生陳慶煌撰寫〈劉申叔先生之經學〉論文，該生經學校及教育部口試全票通過，獲頒國家文學博士學位。另又應聘爲該所研究生林逢源〈三國故事劇研究〉博士論文考試口試委員。

七月十四日，總統蔣經國先生派任爲七十一年臺灣省政府暨所屬各機關公務人員及分類職位公務人員升等考試典試委員。

七月十九日，總統蔣經國先生派任爲七十一年特種考試第二次河海航行人員考試、驗船師考試、漁船船員考試、第二次船舶電信人員考試典試委員。

七月二十一日，總統蔣經國先生派任爲七十一年特種考試交通事業郵政人員考試暨七十一年交通事業郵政人員升資考試典試委員。

八月十八日，總統蔣經國先生派任爲七十一年公務人員高等考試典試委員。

九月十五日，總統蔣經國先生派任爲七十一年交通事業鐵路人員升資考試典試委員。

九月二十四日，總統蔣經國先生派任爲七十一年特種考試外

交領事人員暨國際新聞人員考試典試委員。

　　十月十五日，總統蔣經國先生派任爲七十一年特種考試司法人員考試典試委員。

　　十月二十二日，總統蔣經國先生派任爲七十一年特種考試臺灣省基層公務人員考試典試委員。

　　十一月，爲張佛千所撰〈淡江大學創立三十二週年頌辭〉作跋。今文收《楚望樓駢體文》續編頁165。

　　十一月十七日，中華民國老莊學會聘爲名譽董事。

　　十一月二十二日，總統蔣經國先生派任爲七十一年特種考試第三次河海航行人員考試、引人水考試、第三次船舶電信人員考試典試委員。

　　十二月十四日，總統蔣經國先生派任爲七十一年特種考試中醫師考試典試委員。

中華民國七十三年　　　甲子（西元1984）　　　先生七十五歲

　　二月十一日，考選部長唐振楚敦聘爲七十三年行政院暨所屬各機關分類職位公務人員第二職等考試主試委員。

　　三月，先生親書曾霽虹考試委員所撰〈張副院長宗良先生八秩壽慶紀念冊序〉。今墨跡收入《成惕軒先生紀念集》頁149-154。

　　三月，七十三年檢定考試委員會主任委員唐振楚敦聘爲七十三年檢定考試委員會委員。

　　三月五日，總統蔣經國先生派任爲七十三年特種考試第一次河海航行人員考試、引水人考試、第一次船舶電信人員考試典試委員。

三月十九日，總統蔣經國先生派任為七十三年特種考試法務部調查局調查人員考試典試委員。

五月，由臺灣商務印書館出版《楚望樓駢體文》續編一冊，共三五二頁，存文七十二首，由弟子陳弘治、張仁青、李周龍、莊雅州、林茂雄、陳慶煌註譯。

五月十七日，總統蔣經國先生派任為七十三年特種考試中央銀行行員考試典試委員。

五月二十日，蔣經國、李登輝宣誓就任第七任正副總統職。

五月二十二日，中醫師考試檢定考試委員會主任委員顧守之敦聘為七十三年中醫師考試檢定考試委員。

六月，指導政治大學中文研究所研究生韓庭銀撰寫〈白居易詩與釋道之關係〉、徐裕源撰寫〈黃山谷詩研究〉，二生均經口試通過，獲文學碩士學位。另又應聘為該所研究生劉又銘〈馬浮研究〉碩士論文考試口試委員。

六月，參加教育部七十三年大專院校教授書法邀請展展出作品一件。

六月二十一日，總統蔣經國先生派任為七十三年臺灣省政府暨所屬各機關公務人員及分類職位公務人員升等考試典試委員長。

六月二十九日，總統蔣經國先生派任為七十三年特種考試第二次河海航行人員考試、漁船船員考試、第二次船舶電信人員考試典試委員。

七月二日，總統蔣經國先生派認為七十三年公務人員高等暨普通考試典試委員。

七月十八日，贈書作支持臺北市防癌協會籌募防癌基金舉辦國蘭義展及擁護蔣總統經國先生聯任第七任總統活動。

七月二十六日，前考選部長李壽雍逝世，先生撰聯輓之，聯曰：「雅座偶趨陪，獨以談藝談玄爲樂；平生多智略，未竟作霖作楫之才。」

八月，監察院進行審查考試院正副院長孔德成、林金生及考試委員曾霽虹等人選資格。

八月七日，總統蔣經國先生派任爲七十三年特種考試警察人員考試典試委員。

秋，遊嘉義時，應涂德錡縣長之請，曾題吳鳳廟。聯曰：「以身爲犧，精誠貫金石，言朱其馬，遺愛在郊坰。」

秋，任臺灣省公務人員升等考試典試委員長，試畢，應李仲唐之邀，往遊后里毘盧禪寺。

考試委員秩滿榮退，獲頒一等服務獎章。

九月一日，總統蔣經國先生派任爲七十三年特種考試外交領事人員暨國際新聞人員考試典試委員。

九月十三日，考試院長孔德成聘爲該院顧問。

十月二十四日，總統蔣經國先生派任爲七十三年特種考試司法人員考試典試委員。

十一月二日，總統蔣經國先生派任爲七十三年專門職業及技術人員高等暨普通考試典試委員。

十一月九日，總統蔣經國先生派任爲七十三年特種考試臺灣省基層公務人員考試典試委員。

閏十月旬，寒疾新瘳，晴光在牖，曾於楚望樓書楚望樓詩句。

自民國三十三年蜀闈襄校，三十七年南都典試，四十年來，鎖院餘閒，迭有酬唱，得詩一百八十餘首，輯爲《高闈四十年唱酬集》二卷，序文詳見《楚望樓駢體文》續編頁118。

中華民國七十四年　　乙丑（西元1985）　　先生七十六歲

　　四月，中華學術院院長張其昀敦聘爲該院詩學研究所副所長（自七十四年四月一日起至七十六年三月三十一日）。

　　四月五日，先生撰【千秋歲】詞二闋並序，以紀念先總統蔣公逝世十週年，詳見《楚望樓詩》頁420。

　　四月十日，爲周棄子《周棄子先生集》撰駢文序，詳見《成惕軒先生逝世十周年紀念文集》所著錄。

　　五月一日，中醫師考試檢定考試委員會主任委員顧守之敦聘爲七十四年中醫師考試檢定考試委員。

　　五月三日，總統蔣經國先生派任爲七十四年臺灣地區省市政府暨所屬各機關公務人員及分類職位公務人員升等考試典試委員。

　　六月，應聘爲政治大學中文研究所研究生韓中慧〈御定歷代賦彙諷喻類賦篇之研究〉碩士論文考試口試委員。

　　八月十四日，總統蔣經國先生派任爲七十四年公務人員高等暨普通考試典試委員。

　　秋，代中華文化復興運動推行委員會撰〈嚴前總統靜波先生八秩壽頌〉，今文收《楚望樓駢體文》續編頁15-17。

　　九月九日，總統蔣經國先生派任爲七十四年特種考試經濟部駐外經濟商務人員考試、外交領事人員暨國際新聞人員考試、外交行政人員考試典試委員。

　　十月三十日，總統蔣經國先生派任爲七十四年特種考試臺灣省基層公務人員考試典試委員。

　　冬，哈雷慧星見，賦七言絕句一首以誌感。詳見《楚望樓詩》頁402。

　　十二月十日，中華民國傳統詩學會理事長吳松柏敦聘爲該會

顧問。

十二月十九日，總統蔣經國先生派任爲七十四年專門職業及技術人員高等暨普通考試典試委員。

中華民國七十五年　　丙寅（西元1986）　　先生七十七歲

中華民國詩書畫協會理事長丑輝瑛敦聘爲該會顧問。

一月九日，總統蔣經國先生派任爲七十五年特種考試交通事業鐵路人員考試典試委員。

春遊高雄，袁局長陪觀高雄旗津海底隧道。後謁西子灣蔣公行館。第十屆基層特考，試畢，與陳時英監察委員同遊月世界。

六月一日，七十五年特種考試公務人員甲等考試典試委員會典試委員長孔德成敦聘爲七十五年特種考試公務人員甲等考試口試委員。

七月二十三日，總統蔣經國先生派任爲七十五年特種考試關務人員考試典試委員。

八月十六日，總統蔣經國先生派任爲七十五年公務人員高等暨普通考試典試委員。

十月三十一日，先總統蔣公百歲誕辰，賦七言絕句一首並序以悼之。詩曰：「鼎湖龍去海雲邊，弧矢今朝紀百年。謳頌四方遺澤在，光芒萬丈大星懸。帝秦局幻終驅鹿，臣甫詩成自拜鵑。便乞威靈予呵護，朱旗重煥蔣山巔。」

十二月，將《楚望樓詩》《楚望樓聯語》結集完成，並分別撰〈自序〉各一篇，準備付梓。

十二月二十三日，總統蔣經國先生派任爲七十五年專門職業及技術人員高等暨普通考試典試委員。

中華民國七十六年　　　丁卯（西元1987）　　先生七十八歲

　　八月十八日，總統蔣經國先生派任為七十六年全國性公務人員高等暨普通考試典試委員。

　　九月典試高闈，成〈丁卯典試作〉七言絕句一章。詩曰：「晚來筋力倦登樓，校士誰憐老未休。四十年間一彈指，朱衣曾對秣陵秋。」

　　十二月十六日，總統蔣經國先生派任為七十六年專門職業及技術人員高等暨普通考試典試委員。

　　十二月二十八日，任命為七十六年專門職業及技術人員高等暨普通考試典試委員。先生於衡文期間集楚望樓舊句贈其弟子陳慶煌博士：「萬里鵬摶趁好風，騰騰旭日正舒紅。凌雲健筆看君在，吾道於今總向東。」「不向西江角長雄，神龍夭矯正蟠空。兩間要振風雲氣，先寫中興第一功。」七言絕句二首。

中華民國七十七年　　　戊辰（西元1988）　　先生七十九歲

　　元月十三日，蔣經國總統病逝，由副總統李登輝宣誓繼任。

　　按：先生以誤於庸醫，拔牙不慎，齒神經嚴重受損，眠食不得。經年累月，每日二十四小時，皆受病魔之摧殘。從預留遺囑中，知其曾難熬病苦，數次欲以安眠藥自求解脫而幸及時克制。自題詩云：「歲在戊辰龍去否？日斜庚子鵬來初；賈生才調康成學，慚愧平生兩不如。」

中華民國七十八年　　　己巳（西元1989）　　先生八十歲

　　二月，《楚望樓詩》由臺灣商務印書館初版發行，凡四卷，共收詩一千四百五十六首。另附錄《楚望樓詞》四十八闋，《藏

山閣題詠》劉鵬年諸家之詞作十七闋，以及《高闉和作》錢問樵諸家之和詩一百二十二首。又《楚望樓聯語》亦由臺灣商務印書館同時初版發行，共收聯對五百四十八副。

六月二十日，於木柵寓所深夜起床摔跤，次日清晨住進醫院。

六月二十三日凌晨，以心臟衰竭逝世。

七月十六日，於臺北市立第一殯儀館景行廳舉行莊嚴而隆重之出殯大典，政府除賜中華民國國旗覆棺外，十一月二十七日，總統且明令褒揚曰：「前考試院考試委員成惕軒，器識沈毅，志慮貞純；篤學善文，聲華早著。歷任國防最高委員會簡任祕書，考試院、總統府參事，並連任四屆考試委員。奉公給事，勞瘁弗辭；典試衡文，甄拔多士。公餘都講上庠，潛心著作，潤色鴻業，永挹清芬。茲聞溘逝，軫悼良深；應予明令褒揚，以彰曩績。」安葬於臺北縣三芝鄉北海墓園吉穴。